CW00384302

Ei fyd oedd Eisteddfode,—a'i orchest
Fu gwarchod Y Pethe;
Gwron yr Ymrysone,
Mae'n chwith,—pwy lenwith ei le?

—T.J.

Y Llwyd o'r Bryn

R. Alun Evans

Llys yr Eisteddfod Genedlaethol

Cyhoeddwyd yn 2008 gan
Lys yr Eisteddfod Genedlaethol

ISBN 978 1 84851 003 6

Cyhoeddir y llyfr hwn gyda chymorth ariannol
Cyngor Llyfrau Cymru.

Argraffwyd a rhwymwyd yng Nghymru gan
Wasg Gomer, Llandysul, Ceredigion.

Cyflwynedig i Rhiannon –
hyfforddwraig Corau Adrodd Brynsiencyn,
Merched y Wawr Tregarth, Parti Merched Capel Minny Street
a'r Wenallt Caerdydd

Cynnwys

Llwyd o'r Bryn
(Soned fuddugol yn Eisteddfod Llandderfel 1963)

Bore drycinog ar y briffordd flin
Ddiwedd Mis Bach ar gyrrau Lerpwl laith;
Ffawdheglwr sionc yn herio gwaetha'r hin
Heb ddim ond ffon yn gwmni ar y daith,
A'i herciog fawd a'i heintus wên yn gwâdd
Hynawsedd y modurwyr blin, di-glyw;
Hwythau yn syllu'n oer â llygaid nadd
A'u nerfau'n noeth gan fwrlwm gwyllt eu byw.
Cymraeg fu'r cyfarch a Chymraeg y sgwrs,
Am grefftau gwlad, diwylliant a Cherdd Dant,
Darlith, Eisteddfod, cynghanedd a chwrs
Y werin sydd yn parchu Dewi Sant:
Rhoed darn o Feirion, cyn gwahanai'n taith,
Yng nghalon alltud ddechrau ei ddydd gwaith.

W Eifion Powell

I Lwyd o'r Bryn (Ar ôl gwrando arno'n darlledu yn Saesneg)

Lloyd o' the Hill, thou fillest – all the vale
With thy voice so earnest
This Sunday as thou sendest
Thy appeal with zeal and zest.

Trilling thy 'r' so truly – in language
That lingers in mem'ry;
Bob, I swear, the BBC
In London soon will land ye.

Thy heart, Oh, Lloyd o' the Hill, – is it sound?
Is it safe from peril?
Thou would'st not have us cavil,
Show thou art our stalwart still.

W.D.Williams

PICKPOCKETS

Cyflwyniad

Ar dro'r ganrif hon fe gynhyrchwyd llyfr, a gyhoeddwyd gan Lys yr Eisteddfod Genedlaethol, *Y Rhuban Glas*, oedd yn olrhain cefndir a datblygiad Gwobr Goffa David Ellis, sef y brif wobr i unawdwyr. Argraffwyd y gyfrol gan Wasg Gomer ac fe'i lansiwyd yn y Brifwyl yn Llanelli 2000.

Gan fod yr Eisteddfod Genedlaethol yn 2009 yn dychwelyd i Feirionnydd, dyma gyfle i olrhain cefndir a datblygiad un arall o wobrau'r ŵyl, Gwobr Goffa Llwyd o'r Bryn, sef y brif wobr i'r adroddwyr (neu'r llefarwyr), a hynny yng nghynefin Llwyd o'r Bryn ei hun. Pwy'n well i ddweud amdano ef na'i nai, Dr Aled Lloyd Davies? A phwy'n well i sgrifennu am y ddawn o adrodd – *adrodd* sylwer, ac nid llefaru – na'r Prifardd John Gwilym? Rwy'n ddiolchgar i'r ddau am eu cyfraniadau i'r gyfrol hon.

Rwy'n ddiolchgar hefyd i bob un o'r deugain o gyn-enillwyr Gwobr Goffa Llwyd o'r Bryn am rannu eu hatgofion, er i mi gael yr argraff, ar un adeg, bod hen ystrywiau'r cystadleuwyr hynny sy'n cuddio tan y funud olaf cyn ymddangos mewn rhagbrawf yn dal yn gryf yng ngwythiennau ambell un!

Bu farw dau gyn-enillydd ac, yn y cyswllt hwnnw, rwy'n ddiolchgar i aelod o'r teulu am eu cofnod. Y trueni yw bod llyfryn fel hwn yn dyddio o'r dydd y cyhoeddir ef gan y bydd enillydd arall, gobeithio, yn dod i'r brig yn 2008 ac arall eto yn 2009.

Yr Eisteddfod Genedlaethol gyntaf i Robert Lloyd, i roi ei enw priod i Llwyd o'r Bryn, ei mynychu oedd Bae Colwyn 1910. Ef ei hun sy'n cofnodi: 'Ni chollais ond dwy wedyn yn y Gogledd, sef Bangor 1915 oherwydd helbul 'dechrau byw', a Chaergybi 1927 – hen gynhaeaf gwair diweddar'. Nid 'enw yng Ngorsedd' oedd 'Llwyd o'r Bryn', gyda llaw, ond enw a dadogwyd arno mewn eisteddfod leol ac a arddelwyd ganddo byth oddi ar hynny.

O ganol y 1930au ymlaen, ac am rai blynyddoedd, bu ef a chriw bychan o'i ffrindiau yn trafod telerau efo ffermwyr lleol yn ardal y Brifwyl i gael lletya mewn sguboriau cyfagos. Doedd gwestai crand ddim yn apelio at y boced – roeddynt yn llawer rhy werinol i hynny. Meddyliwch o ddifrif am yr hwyl a gaent yng nghwmni ei gilydd, yn trafod profiadau'r diwrnod hyd yr oriau mân. Bedyddiwyd y gymdeithas deithiol, ddethol, hon yn Gymdeithas y Porfeydd Gwelltog!

Yn Eisteddfod y Gadair Ddu, Penbedw 1917, 'Cromwell' neu 'Buddugoliaeth Gwirionedd' osodwyd yn brif-adroddiad, a Llwyd o'r Bryn yn cystadlu. Gan ei fod yn rowlio'r 'r', dyna ddau destun digon lletchwith iddo! 'Ei mentro hi y tro cyntaf, a cholli'r llwyfan.'

Daeth gwell lwc, os lwc hefyd, yn yr Wyddgrug 1923 a 'Mab y Bwthyn' Cynan yn brif adroddiad. 'Gwernydd Morgan a minnau ac Evan Evans, Birkenhead, ar y llwyfan. Roedd ansoddair cryf ynghanol y darn, a dywedir iddo ddod trosodd yn dda – meddent hwy! R. Wms Parry ar ei fis mêl mewn carafán, ac ar risiau'r llwyfan yn fy nerbyn, a diflannu ein dau i yfed te efo'n gilydd – ie wir, i ddathlu'r llanast.' Dyna sut mae Llwyd o'r Bryn, yn *Y Pethe*, yn disgrifio'i fuddugoliaeth. Ddeugain mlynedd union yn ddiweddarach, yn 1963, y daeth Gwobr Goffa iddo i fod.

Bu Llwyd o'r Bryn, a aned ar 29 Chwefror 1888, farw ar Ragfyr 28, 1961. Ar gyfer yr Eisteddfod Genedlaethol yn Llandudno 1963 fe gofnodir, yn Adroddiad y Cyngor i'r Llys: 'Rhoddion eraill a dderbyniasom yn ystod y flwyddyn yw'r swm o £320 i waddoli 'Gwobr Goffa Llwyd o'r Bryn' yn Adran Adrodd a'r swm o £200 gan Gôr Orpheus, Treforus i sefydlu gwobr er côf am eu diweddar arweinydd hoff, Ivor E. Sims'. Yn ôl yr Adroddiad Ariannol yr union swm i waddoli 'er côf am yr hen Eisteddfodwr selog' oedd £316. 4. 2.

Yn wahanol iawn i'r Rhuban Glas i gantorion, mae hon yn gystadleuaeth a newidiodd ei hamodau yn aml, ac weithiau'n syweddol. Yn 1963, ac am y blynyddoedd cynnar, roedd y wobr yn £6. 6. 0 – chwe gini – a'r tlws 'i fuddugwyr pedair cystadleuaeth' sef Adrodd i Feibion dros 25 oed, Adrodd i Ferched dros 25 oed, Adrodd i Feibion 18-25 oed ac Adrodd i Ferched 18-25 oed. Er cynyddu'r wobr i £15 yn Nyffryn Clwyd 1973 dyna'r tro cyntaf i'r wobr gael ei hatal.

Newidiwyd amod y gystadleuaeth yng Nghaerfyrddin 1974 i fod yn 'Agored i enillwyr y wobr gyntaf yn y cystadleuthau adrodd unigol dros 18 oed yn unrhyw Eisteddfod Genedlaethol oddi ar 1970 [Rhydaman] gan gynnwys Eisteddfod Genedlaethol Bro Myrddin.' Yng Nghaerdydd 1978 y bu'r newid nesaf. Yno, roedd Gwobr Goffa Llwyd o'r Bryn 'yn agored i unrhyw gystadleuydd dros 18 oed'. Yn Llanbedr Pont Steffan a'r Fro 1984 doedd dim un amod. Yn y Rhyl a'r Cyffuniau 1985 'agored i unrhyw un dros 25 oed' oedd hi. Newidiwyd hynny ym Mro Madog 1987 gan ostwng yr oedran i 'unrhyw un dros 19 oed' a'i ostwng eto i 'unrhyw un dros 18 oed' yng Nghasnewydd 1988. Mae anghysondeb yn dilyn rhwng de a gogledd. 'Dros 19' yn Nyffryn Conwy 1989. 'Dros 18' yng Nghwm Rhymni 1990! Ond y 'dros 19' oedd piau hi am rai blynyddoedd nes i bobol dda Môn godi'r oedran yn Llanbedr Goch 1999 i rai 'dros 21 oed'. A does dim cysondeb yn y ganrif hon chwaith: rhwng 2000 a 2003, 'dros19'. O 2004 hyd 2008, 'i rai dros 21'.

Cynyddodd y wobr ariannol yn raddol – er iddi ddisgyn o'r chwe gini i chwe phunt am flwyddyn neu ddwy – i £50, nes dyblu i £100 mewn un llam ym Mro Delyn 1991. Yn y Bala 1997 fe ddechreuwyd ar yr arfer o gynnig ail a thrydydd gwobr yn ogystal. Mae'r wobr gyntaf oddi ar Eisteddfod Bro Ogwr 1998 yn £150; £100 o ail wobr a thrydydd gwobr o £50.

Yr awgrym yn yr holl newidiadau dros y blynyddoedd, waeth pa mor fân, yw bod safon a nifer cystadleuwyr y gystadleuaeth hon wedi amrywio'n fawr. Ataliwyd y wobr ddwy waith, yn 1973 a 1990, a hynny ar sail prinder cystadleuwyr a diffyg safon. Ar un adeg roedd mwy o feirniaid i'r gystadleuaeth nag oedd 'na o gystadleuwyr! Norah Isaac fyddai'n fwyaf llafar am y sefyllfa lle gwelid chwech o feirniaid yn tafoli tri chystadleuydd.

Tri, hyd yma, a enillodd Wobr Goffa Llwyd o'r Bryn ddwywaith sef Stewart Jones, [1963 a 1964] Brian Owen [1965 a 1968] a Siân Teifi [1978 a 1982]. Dylid nodi hefyd i Aled Gwyn ennill y Prif Adroddiad yn Llanelli 1962, sef y flwyddyn cyn i Wobr Goffa Llwyd o'r Bryn ddod i fodolaeth, a'r Wobr Goffa ei hun yn 1967.

Yn 1992, yn Aberystwyth, y peidiodd yr Adran Adrodd â bod. Yn ei lle, wedi llawer o drafod ymysg y rhai oedd â diddordeb yn y grefft, fe newidiwyd yr enw i Adran Llefaru. Mae gan y Prifardd John Gwilym syniadau pendant am oblygiadau'r newid hwnnw – gweler ei erthygl ar dudalen xxi. Ond nid pawb, gweler atgofion Mirain Haf, sy'n cytuno. Daeth cystadlaethau eraill fel Monolog a Deialog i ychwanegu at rychwant y grefft ond nid i ddisodli y cystadlaethau traddodiadol. Y peth pwysicaf yw bod pobl o bob oed yn dal i gael pleser o adael i eiriau dreiddio i'w gwead, weithiau i ddyfnder eu henaid, a chael y boddhad o gyflwyno rhyddiaith a barddoniaeth ar ein llwyfannau i gynulleidfa sy'n awyddus i wrando. Cewch enghreifftiau o rai o'r darnau a gyflwynwyd am Wobr Goffa Llwyd o'r Bryn yn y gyfrol hon.

Y gair ola gen i yw'r diolch dyledus hwnnw i Lys yr Eisteddfod Genedlaethol am gytuno i gyhoeddi'r gyfrol ac i Wasg Gomer, yn arbennig felly i Bethan Mair, am eu hymroddiad a'u proffesiynoldeb arferol. Gobeithio y cewch chi bleser o fodio drwy gyfrol sy'n coffáu arch-fodiwr Cymru wrth iddo'i ffawd-heglu hi draws gwlad.

R Alun Evans

Robert Lloyd (Llwyd o'r Bryn) 1888-1961

Portread Dr Aled Lloyd Davies o'i ewyrth

Nid wyf yn cofio y naill na'r llall o'm dau daid, gan nad oeddwn ond dwyflwydd a theirblwydd oed pan fu farw'r ddau ohonynt. Yn ôl y gwybodusion, fe ddylai plentyn o'r oed yna fedru eu dwyn i gof o niwloedd y gorffennol. Yn rhyfedd iawn, rwyf wedi medru llunio darlun go lew yn fy meddwl o Taid Penbryn. Y rheswm am hynny yw fy mod wedi treulio cryn dipyn o amser yng nghwmni fy Newyrth Bob, a chael fy nghyfareddu gan ei straeon amdano. Wedi'r cwbl, onid llawer mwy rhamantus i fachgen ar ei dyfiant oedd hanes taid fu yn y jêl? Rhywsut, rhywfodd, doedd hanes gŵr a fu'n trin clociau ddim yn cario'r un apêl.

Mewn tyddyn yng Nghwm Penanner yn Uwchaled y cafodd Taid Penbryn ei fagu. Yr oedd bywyd yn galed yn ystod ei fachgendod, mor galed yn wir nes iddo'n ddengmlwydd oed gael ei anfon at ryw lun o berthynas pell i'r teulu oedd yn gowper yn Amwythig i ddysgu'r grefft honno. Tra bu yno, gwelodd grogi cyhoeddus ar y sgwâr, y tu allan i ffenestr ei lofft. Bu yn Amwythig am dair blynedd, gan ddioddef cryn greulondeb o ddwylo ei feistr. Yn dair ar ddeg oed ni allai ddioddef dim mwy. Cerddodd y ffordd hir o Amwythig i Langollen cyn i yrrwr y goets fawr dosturio wrtho, a rhoi pás iddo hyd at Gerrigydrudion.

Rai blynyddoedd yn ddiweddarach, bu'n gweithio ar y dociau yng Nghei Connah cyn treulio rhai blynyddoedd wedi hynny yn gweithio yng ngwaith dur Brymbo. Dyna pryd y priododd. Yno y ganwyd ei blant hynaf cyn iddo symud yn ôl, maes o law, i Gwm Penanner. Yn Uwchaled, bu'n un o arweinyddion Rhyfel y Degwm. Dyna pryd y cafodd ef, a thuag ugain o'i gyd-dyddynwyr, y fraint o dreulio ysbaid yn Jêl Rhuthun.

Yn dilyn y carchariad cafodd ef a'i deulu o chwech o blant eu troi allan o'r tyddyn gan y meistr tir. Fe fyddent wedi bod ar y clwt oni bai iddynt lwyddo i gael tenantiaeth tyddyn ar stâd y Pale, rhyw hanner ffordd rhwng Corwen a'r Bala. Ac yno, ym Mhenbryn, Bethel, y ganed eu plentyn olaf, Robert Lloyd, ar ddyddiad diddorol, sef 29 Chwefror 1888.

Dyna'r math o gefndir y manteisiodd f'Ewyrth Bob arno i gyfareddu ei nai pan oedd hwnnw'n byw yn y Brithdir ac, yn ddiweddarach, yng Nghorwen. Yn nwylo storïwr dawnus fel Bob Lloyd, medrwch ddychmygu pa mor apelgar oedd ei straeon llawn dychymyg. Gan mai fy mam ac yntau oedd y ddau olaf o'r teulu i adael y cartref ym Mhenbryn, yr oedd y ddau ohonynt yn agos iawn. Nid oedd yn syndod yn y byd fod Bob yn galw yng nghartref Catherine yn aml ar ddiwrnod Ffair Corwen, neu pan fyddai ar ei ffordd adre o rai o'i fynych grwydriadau. Gyda gŵr diddan fel hwn yn ewyrth iddo, does ryfedd y byddai hogyn yn edrych ymlaen at gael ei gwmni.

Meddai ar y ddawn o fynd i fyd plentyn. Rwy'n ei gofio'n galw heibio ein cartref yn y Brithdir a minnau newydd gael fy mhen-blwydd yn wyth oed. Gofynnodd 'Ymhen ugain mlynedd eto, beth fydd dy oed di?', a minnau'n ateb 'Wyth ar hugain'. 'I'r blewyn,' meddai yntau, 'ond pe byddwn i wedi fy ngeni yn yr un flwyddyn â thi fyddwn i ddim ond yn saith mlwydd oed'. Wel, dyna broblem! Meddyliwn am funud ei fod yn dechrau ffwndro, gan nad oeddwn wedi deall mai'r nawfed dydd ar hugain o Chwefror oedd dyddiad ei ben-blwydd ef. Rhyw bethau fel'na oedd yn diddanu ac yn addysgu yr un pryd.

Ar ôl iddo chwarae tric fel yna arna i, rhaid oedd talu'n ôl. Mi wyddwn i'n iawn sut i gynhyrfu'r dyfroedd. 'Beth oedd hanes y ferch honno o ardal Wrecsam oedd yn arfer gyrru cerdyn Nadolig i Benbryn ers talwm?' holais yn ddiniwed, am y gwyddwn y byddai'r cwestiwn yn sicr o godi ei bwysedd gwaed. 'Dy fam sydd wedi bod yn dy fwydo di efo'r hen straeon yna, mae'n siŵr,' medde fo. 'Oedd, mi roedd 'na ryw hulpen wirion fu'n anfon cerdyn Nadolig i Benbryn am flynyddoedd – yn Saesneg, cofia di. Ac ar y cerdyn mi fydde'n sgwennu *To David, to Winnie, to Jane, to Maggie, to Catherine, to John, and to the little baby.* Bob blwyddyn am flynyddoedd mi fydde'r cerdyn felltith ''ma'n dod i Benbryn, ymhell ar ôl i mi gael trowsus llaes!' Ymateliais rhag awgrymu efallai mai wedi clywed yr oedd dynes y cardiau mai dim ond teirblwydd oedd ei oed bryd hynny, o ddilyn ymresymiad ei syms rhyfeddol ynglyn â blwyddyn naid.

Ar ôl i ni fel teulu symud i fyw i Gorwen, ac i minnau gyrraedd oedran pryd y medrwn fynd i aros i'w gartref yn y D'rwgoed –

'Derwgoed' oedd enw cywir y fferm, ond ar lafar ym Mhenllyn 'Drwgoed' oedd yr ynganiad – cefais ei weld yn frenin ar ei deyrnas ei hunan. Gwelais fod ei gapel, ei gymdogaeth a'i ardal yn hollbwysig yn ei olwg. Yno, wrth y bwrdd bwyd fe gaem sgwrs am y gymysgedd ryfedda o destunau – pregeth y Sul; eisteddfodau y bu iddynt yn ddiweddar; amseroedd tanceri llaeth Rhydygwystl; colofn Saunders Lewis yn y *Faner*; cymeriadau a gyfarfu yn Ffair y Bala; cyngerdd ym Mhafiliwn Corwen, a llu o faterion eraill. A minnau yn f'arddegau cynnar, yr oedd nifer o destunau'r sgwrs yn rhy ddyrys i mi. Ond yno, yn y D'rwgoed y deuthum i glywed gyntaf am Ifan Rowlands, y Gistfaen; am John Thomas, Maesyfedw ac am T. H. Parry-Williams. Roeddwn yn teimlo fy mod yn adnabod Bois y Cilie flynyddoedd lawer cyn i mi gyfarfod ag un ohonyn nhw, ac roedd Gwilym R. a Kate Roberts yn bersonau byw i mi.

Plwc o ganu wedyn. Dwysan, ei ferch, yn mynd at y piano ac, yn dilyn cyngerdd diweddar yn Seion, Corwen, yn ei hail-fedyddio hi yn 'Chas Clements'. Minnau wedyn yn canu bâs fel Thos Williams a f'ewyrth yn neidio o un llais i'r llall rhwng Isobel Bailey a Harding Jenkins. Ac fel 'Chas a Thos' y bu Dwysan a minnau yn cyfeirio at ein gilydd am gyfnod! Blino ar hyn, a mynd allan am dro efo'n gilydd at 'Lyn Ffridd ar ffridd y llyn', a chael toreth o straeon am Bob Parry, sef y bardd nodedig R. Williams Parry, a fu'n Brifathro yn Ysgol y Sarnau slawer dydd. Medrwn innau uniaethu â hyn gan fod chwedloniaeth wedi tyfu o amgylch enw Bob Parry ar ein haelwyd ninnau hefyd, o gofio'r cyfnod, cyn y Rhyfel Mawr, pan oedd fy nhad yn Brifathro ar Ysgol Llawrybetws, ac yn gwneud llawer gyda Phrifathro Ysgol y Sarnau.

Dyddiau difyr oedd y rheiny erstalwm. Roedd rhyw ddawn ryfedd gan fy ewyrth a'm modryb i lenwi dyddiau a min-nosau'r lojar ifanc gyda diddanwch, cyn dyfod melltith y bocs lluniau yng nghornel y gegin – cribinio yn y cae gwair; gorwedd yng nghysgod heulog tas wair ar ddiwrnod poeth i ddisychedu allan o'r jwg llaeth enwyn oer; picio i siop Cefnddwysarn i mofyn neges; cystadleuaeth llunio'r limrig gorau; gêm o Ludo; egwyl o ganu; cael swatio yn y gegin i wrando ar ymwelydd yn mynd trwy ei phethe wrth baratoi ar gyfer rhyw eisteddfod, ac wedi dod at f'ewyrth am wers adrodd – a sesiwn o chwarae cardiau ar ôl swper. Ac yn frenhines ar y cwbl yr oedd Anti Annie, yn tawel lywio ein dyddiau ar aelwyd y D'rwgoed.

Roedd adrodd yn grefft bwysig yng ngolwg Dewyrth Bob, cyn i fursendod y geiriau 'llefaru' a 'symud' ddod yn rhan o ffenestr siop yr adroddwyr. Gwn ei fod yn teimlo'n falch iddo ennill y Prif Adroddiad yn Eisteddfod Genedlaethol yr Wyddgrug 1923, a hynny o blith tua hanner cant a ddaeth i'r rhagbrawf. Ac yn ddistaw bach, fe wn fod ganddo le cynnes i dref yr Wyddgrug byth er hynny ac y byddai'n falch o ddeall fod ei nai wedi byw yn hen dref Daniel Owen am fwy na deugain mlynedd.

Rhwng popeth, mae'n rhaid bod f'ewyrth wedi treulio oes brysur iawn – ffermio, eisteddfota, mynychu'r capel a'r henaduriaeth, darlithio, arwain cyngherddau ac eisteddfodau, hyfforddi, beirniadu, mwynhau Cymdeithas y Llawr Dyrnu, sgrifennu colofn wythnosol yn y papur lleol – ac, er hyn oll, byddai ganddo amser i ddilyn ei hoff elfen sef sgwrsio a dod i nabod pobol. Fe wnaeth y cyfan heb erioed ddysgu sut i yrru modur na reidio moto-beic. Ffawd-heglu oedd ei ddull o deithio; codi bawd a 'gwneud wyneb disgwyl' ar gerbydau'r briffordd.

Hoffai weld yr ochor ddoniol i bethe, ond medrai hefyd fod yn ddwys ac yn deimladwy iawn pan oedd galw am hynny. Gwelid hyn bob blwyddyn wrth iddo arwain Eisteddfod Gwener y Groglith yn Llandderfel. O dan ei arweiniad, byddai'r eisteddfod yn rhedeg yn llawn hwyl a bwrlwm hyd at foment fawr y prynhawn pan fyddai holl awyrgylch y gweithgareddau yn newid am dri o'r gloch, a llond y pafiliwn yn uno i ganu emyn Huw Derfel am 'Y Gŵr a fu gynt o dan hoelion'. I mi, roedd rhan yr arweinydd yn allweddol yn hyn oll.

Gwelais enghraifft bellach o sensitifrwydd ei gymeriad ym mis Awst 1958. Yr oeddwn wedi fy ngwahodd i ganu'r cywydd oedd i agor Eisteddfod Genedlaethol Glynebwy ar fore Llun cyntaf Awst y flwyddyn honno. Bu farw fy mam ar y dydd Sadwrn cyn yr agoriad, ond rhai o'i geiriau olaf hi oedd 'Cofia di fynd i lawr i ganu yn y Steddfod'. Ar ôl llawer o wewyr, dyma benderfynu mynd er mor anodd fyddai canu dan y fath amgylchiadau. Ond pwy ddaeth i lawr yr holl ffordd gyda Beryl a minnau, ac yn ôl ar gyfer yr angladd ar y dydd Mawrth? Pwy oedd wedi synhwyro, o'i brofiad, mor anodd fyddai'r dasg? Pwy ond F'ewyrth Bob.

I ddathlu canmlwyddiant geni Llwyd o'r Bryn bu cyngerdd yng nghapel Cefnddwysarn a chanodd Aled y geiriau hyn y noson honno:

Roedd aros yn y D'rwgoed fel teithio i wlad hud.
Roedd yno fôr o chwerthin, heb ddim un eiliad fud.
Mwg baco'n llenwi'r gegin lân
a sgwrsio diddan gylch y tân.

Cael hwyl wrth chwarae cardie, a Liwdo gylch y bwrdd.
Cael rhamant ei holl deithie i fannau pell i ffwrdd.
Trafod englynion wneid o hyd
a cheisio trafod 'Cwrs y Byd.'

Mynd yno adeg c'naea'. Pawb allan yn y cae.
Cael te yng nghysgod heulog; cyfle am sgwrs a swae.
Stori a thynnu coes, a smôc
a'r hen geffylau'n rhannu jôc!

Ar aelwyd wâr y D'rwgoed clywais am y Gistfaen;
cyn trafod Williams Parry a Gwenallt gyda graen;
ac weithie, yn yr orie mân
doi Bois y Cilie gylch y tân.

Canu o gylch y piano, – ar yr alto mi rown siawns.
Yna sôn am Bob Tai'r Felin; John Thomas gyda'i ddawns.
Roedd byd y Pethe'n fwrlwm byw
pan fyddai f'ewyrth wrth y llyw.

Ac yna, ar ddydd Sabath, i'r oedfa yn y Cefn;
neu'r Groglith yn Llandderfel. Dôi newid yn y drefn,
a dwys dawelai'r chwerthin croch
yng ngwefr 'Cyfamod' dri o'r gloch.

Hen ddyddiau braf y D'rwgoed; hen ddiddan ddyddie ffôl.
Y Llwyd a'i lawen chwedl. Does modd eu galw'n ôl.
Ond deil yr 'r' yn her o hyd,
a'r pethe'n fyw i ni i gyd.

Dawn Adrodd

Yr hen gelfyddyd

Dyma un o hen grefftau gwareiddiad, ac un a gafodd le anrhydeddus ymhlith y Celtiaid. Byddai cyfarwyddiaid yn adrodd chwedlau mewn llysoedd, a beirdd yn adrodd eu gwaith eu hunain neu waith beirdd eraill. A chan mai ar gof, yn amlach nag mewn llyfr, y cedwid y chwedlau a'r cerddi, byddai'r ddawn lafar yn hanfodol.

Perthynas bur agos i adrodd yw areithio ac actio. Yn hen wareiddiad gwlad Groeg byddai areithyddiaeth yn cynnwys y cyfansoddi a'r rhethreg yn ogystal â thechneg y cyflwyno. Byddai'r elfennau yna i gyd yn cydweithio i argyhoeddi cynulleidfa. Ond gydag actio ac adrodd yr hyn a wneir yw cyflwyno drama neu gyflwyno darn o lenyddiaeth o waith rhywun arall. Y gamp yw dehongli a chyflwyno'r ddrama neu'r darn a adroddir yn effeithiol fel bo'r awdur yn cyfathrebu â'r gynulleidfa drwy'r cyflwynydd.

Rhaid cydnabod fod yna ambell eithriad. Fe all cyflwynydd ddehongli a chyflwyno'r gwaith gwreiddiol yn ôl ei weledigaeth ei hun. Nid oes rheol i'w rwystro. Fe all roi perfformiad i ddiddanu a hyd yn oed wefreiddio'i gynulleidfa, gan ddefnyddio'r gwaith ysgrifenedig mewn dull gwahanol i amcanion yr awdur. Mawr dda iddo os myn wneud hynny. Ond, a siarad yn gyffredinol, nod yr adroddwr yw caniatáu i'r gwaith afael yn y gynulleidfa mor agos â phosib i fwriad yr awdur ei hun. (Yn y sylwadau hyn defnyddiaf y gair 'adroddwr' yn gyfystyr ag 'adroddwr/adroddwraig'.)

Newid arddull

Dros gan mlynedd yn ôl gwelwyd bri ar grefft adrodd. Arferid hi mewn cyngherddau yng Nghymru fel yn Lloegr. Yr hyn a roes fywyd arbennig i'r gelfyddyd yng Nghymru oedd ei lle o fewn i'r eisteddfodau lleol a chenedlaethol. Magwyd to ar ôl to o adroddwyr a hyfforddwyr a borthai'r llwyfannau eisteddfodol drwy'r De a'r Gogledd ochr yn ochr â'r unawdwyr a'r corau.

Ond bu hi'n anodd cael cysondeb barn ar egwyddorion sylfaenol adrodd. Ym myd y canu eisteddfodol byddai gan feirniaid ganonau cydnabyddedig i'w dilyn, megis cywirdeb tonyddiaeth a chynhyrchiad llais, yn ogystal â geirio a mynegiant. Ym myd adrodd bu'r safonau'n fwy cyfnewidiol. Mewn mynegiant, melodrama a gordeimladrwydd a reolai'r maes yn gynnar yn yr ugeinfed ganrif. Gwelem mewn ffilmiau mud fel y byddai actorion yn defnyddio ystumiau a mynegiant wyneb eithafol i fynegi eu hemosiynau, ac arddull felly a geid ar lwyfannau'r dramâu. Cafwyd cyfnod cyfatebol ym myd adrodd lle disgwylid i'r adroddwr ddefnyddio'r corff cyfan ar lwyfan, a byddai'r darnau a adroddid yn rhai a roddai gyfle i'r teimladau ffrydio'n weladwy.

Yna daeth radio. Roedd hwn yn cynnig llwyfan anweledig lle na allai'r gynulleidfa weld y dagrau, na'r llygaid yn rholio na'r breichiau'n ymbil. Rhaid oedd dibynnu'n llwyr ar y llais, a chafwyd adwaith chwyrn yn erbyn pob math o ystum gan adroddwr. Byddai'n sefyll yn stond fel petai o flaen meicroffôn anweledig. Y llefaru disymud hwn fyddai'n dderbyniol am ddegawdau. Esgorodd hyn ar gamddeall arwyddocâd y gair 'adrodd', a'r camddeall anneallus hwn a barodd alltudio'r gair o raglenni testunau eisteddfodau'r Urdd a'r Genedlaethol a gosod y gair 'llefaru' yn ei le. Credent fod 'adrodd' yn gyfystyr â'r gorberfformio ffuantus a welid gan adroddwyr y genhedlaeth gynt. Caed perfformiadau bwrlesg mewn nosweithiau llawen i barodïo corau adrodd, a gwnaed adrodd ystumiol yn gyff gwawd ffasiynol i'w daro hyd yn oed mewn darnau eisteddfodol ar gyfer plant. Mae'n ddiddorol, gyda llaw, na welir fawr o neb yn gwawdio cantorion roc na chantorion opera am eu campau corfforol a'u mynegiant wyneb. Hyderaf yr adferir y gair 'adrodd' i'w briod ddefnydd yn adrannau'r eisteddfodau yn fuan, a da gweld fod nifer helaeth o eisteddfodau lleol yn ddigon doeth i wrthod defnyddio'r term amwys 'llefaru'.

Un fendith a ddeilliodd o ddylanwad y radio oedd adfer gwerth cynildeb, a'r ddawn i gelu elfennau'r grefft. Yr anhawster eto gyda hyn fu'r goradweithio, oherwydd ceid tuedd wedyn i feddwl mai naturioldeb llwyr yw'r nod. Mae'n amhosib i berfformiad cyhoeddus fod yn 'naturiol'. Mewn geiriau eraill, nid llefaru yw adrodd. Wrth adrodd rhaid cael meistrolaeth lwyr ar holl agweddau'r gelfyddyd i'r fath raddau nes y bydd y perfformiad celfydd a disgybledig ar lwyfan yn ymddangos yn naturiol i'r gwrandawyr yn y seddau.

Chwilio safon

Mynegid gobaith ryw ddwy genhedlaeth yn ôl y byddai'r adrannau drama newydd a frigodd mewn colegau, ac ambell ysgol berfformio, yn sbardun i sefydlu safonau adrodd. Ond ar wahân i rai eithriadau prin megis Ysgol Glanaethwy, ni welwyd hyfforddi effeithiol yn y maes arbennig hwn.

Yn wyneb y dryswch rhwng arddulliau adrodd, teimlai rhai fod angen sefydlu rhyw safonau y gallem oll eu derbyn, a thua diwedd y ganrif ddiwethaf ffurfiwyd Cymdeithas Adrodd a Llefaru. Roedd hi'n ddiddorol yn y trafodaethau cynnar fel y ceisiodd rhai gael gwared ar y gair 'adrodd' o'r enw! Yn anffodus, wedi rhai cyfarfodydd diddorol dros rai blynyddoedd, gwywo wnaeth y Gymdeithas heb lwyddo i roi'r gelfyddyd ar seiliau cadarn.

Wedi i benrhyddid teledu ddod â'i safonau ei hun i mewn i'n cartrefi daeth dagrau a ffrwydriadau'r natur wyllt a'r dicter i gyd yn ôl i'r perfformiadau cyhoeddus mewn dramâu. Daeth cydbwysedd yn ôl i fyd adrodd hefyd, lle ceir bellach symud ar lwyfan a mynegiant dirdynnol lle bo angen hynny. Mae safon yr adroddwyr gorau, yn arbennig y rhai iau, yn uchel. Dangosant ôl dehongli trylwyr ac y mae elfennau'r grefft yn gadarn ganddynt, y geirio, y goslefu, y brawddegu a'r amseru. O'r eisteddfodau lleol i'r Genedlaethol mae'r gelfyddyd yn iach yn nwylo'r ychydig disglair. Ond y mae prinder nifer adroddwyr heddiw yn bryder mawr, ac anodd gweld yr ateb.

Fe ddibynnodd adrodd, fel llawer celfyddyd arall, ar nawdd. Yn eisteddfodau'r ganrif ddiwethaf cafodd ei noddi gan y gwobrau hael a gynigid. Er enghraifft yn y 1930au byddai gwobr yr Her Adroddiad yn gyfartal â hanner cyflog wythnos i athro. Dyna symbyliad ariannol i gystadlu fyddai gwobr gyfatebol heddiw! Symbyliad arall oedd y gobaith yr arweiniai llwyddiant mewn eisteddfod at gyfle i berfformio mewn cyngherddau. Ni all unrhyw adroddwr gymryd hynny'n ganiataol bellach. Yn y celfyddydau eraill mae'n hollol wahanol. Fe ŵyr pob canwr y gall llwyddiant eisteddfodol olygu gyrfa iddo fel perfformiwr, mewn cyngherddau neu ar deledu. Fe ŵyr pob actor y gall perfformiadau o safon mewn sioe gerdd neu gystadleuaeth ar lwyfan Prifwyl fod yn allweddol i ennill iddo yrfa ym myd y ddrama. Y mae ennill Gwobr Daniel Owen neu'r Fedal Lên wedi ennyn sylw'r wasg, a thrwy hynny gomisiwn am nofel i ambell awdur. Weithiau fe all ennill y Goron neu'r Gadair ennill amlygrwydd a chydnabyddiaeth. Ond beth yw'r cyfle sy'n agor ar gyfer y sawl sy'n ennill am adrodd? Er i ni weld llawer canwr a chantores yn canu'r llon a'r lleddf yng nghyfres y Noson Lawen ar deledu, pa bryd y clywyd ynddi adroddwr yn cyflwyno darn o farddoniaeth neu ryddiaith?

Pwrpas y grefft

Y mae hyn yn peri i rywun ofyn beth yw pwrpas y gelfyddyd y tu hwnt i lwyfan eisteddfod. Un ateb amlwg yw y dylai adrodd ddiddanu a difyrru cynulleidfaoedd. Ond pa obaith sydd iddi wneud hynny os na fydd hi'n cyflwyno gweithiau sy'n ddifyr a dealladwy. Llethwyd ambell gynulleidfa drwy i adroddwyr dybio fod yn rhaid iddynt gyflwyno darnau 'safonol', gan ddewis ambell gerdd nad oedd gobaith i gynulleidfa ei gwerthfawrogi. Bryd arall dewisent ddetholiad o ryddiaith hollol ddigyswllt, na wyddai'r gynulleidfa ei gyd-destun. Os oes unrhyw obaith yn y byd i gael adrodd yn ôl i lwyfan cyngerdd neu raglen deledu rhaid i'r adrodd ddysgu cyfathrebu'n effeithiol â'r gynulleidfa.

Pwrpas arall yw cyfoethogi'n diwylliant drwy gyflwyno llenyddiaeth lafar. Yn y fan hon buaswn yn annog pwyllgorau lleol yr Eisteddfod Genedlaethol i ofalu y llwyfennir yn y Babell Lên bob blwyddyn raglen ar batrwm *Llyfr y Siaced Fraith* a luniwyd gan G. J. Roberts i'w berfformio yn Eisteddfod Llangefni 1957. Rhaglen oedd honno i gyflwyno detholiad o lenyddiaeth. Ac ni ellid gwell arweiniad ar gyfer gwaith o'r fath na rhagair Wilbert Lloyd Roberts yn y gyfrol. Roedd y rhaglen honno yn Llangefni yn berfformiad uchelgeisiol a phroffesiynol, ac ni fyddai'n ormod gofyn i ba gorff bynnag a fydd yn cyllido'r celfyddydau yng Nghymru'r dyfodol i ystyried comisiynu rhaglenni tebyg yn gyson ar gyfer ein theatrau. Os nad hynny, fe ellid ystyried cyfuno rhaglen fer o gyflwyniad llenyddol gyda pherfformiad drama.

Yna mewn oes pan fo darllen ar drai, a'r iaith lafar ar radio a theledu yn ennill tir, fe wnâi disgyblaeth adrodd fyd o les i ynganiad y Gymraeg ac arddull ein llefaru. O drwytho ein hunain yng ngweithiau ein llenorion a'n beirdd amlycaf, rwy'n argyhoeddedig hefyd y gwreiddiai ein hiaith ynom yn sicrach o ran ei phriod-ddulliau a'i hymadroddion. Arswydaf yn aml o glywed y modd y llygrir ein llefaru dyddiol gan briod-dduliau estron megis 'gam wrth gam' a 'llun o ddyn' a'r 'grefft o adrodd'. Goddefwch imi gyfeirio fan hyn at un ffynhonnell wybodus a diwylliedig arall sef pennod ragorol ar 'Adrodd' yn hunangofiant W. H. Roberts, *Aroglau Gwair*. Pennod yw hon sy'n llawn sylwadau a chyfarwyddiadau buddiol iawn i adroddwyr, hyfforddwyr a beirniaid.

Y Dyfodol

I raddau, y mae dyfodol adrodd ynghlwm wrth ddyfodol ein heisteddfodau. Tra bydd eisteddfodau, y cystadlu fydd yn parhau i berffeithio elfennau sylfaenol y grefft a rhoi min ar y safon, a mireinio'r mynegiant. Bydd cyfrifoldeb wedyn ar adroddwyr i ddewis deunydd a fydd yn gwefreiddio cynulleidfa. Os gellir llwyddo i wneud hynny, bydd gobaith i'r cyfryngau a chyllidwyr y celfyddydau noddi adrodd fel rhan o'u harlwy.

Y Prifardd John Gwilym Jones

Buddugwyr Gwobr Goffa Llwyd o'r Bryn

Stewart Jones	1963	Llandudno	1
Stewart Jones	1964	Abertawe	1
Brian Owen	1965	Y Drenewydd	3
T. James Jones	1966	Aberafan	5
Aled Jones	1967	Y Bala	7
Brian Owen	1968	Y Barri	3
Anne Winston	1969	Y Fflint	9
G. Wyn James	1970	Rhydaman	12
Enid Parry	1971	Bangor	15
Alun Lloyd	1972	Hwlffordd	17
atal y wobr	1973	Rhuthun	
Eiri Jenkins	1974	Caerfyrddin	19
Nellie Williams	1975	Cricieth	21
Sara Tudor Jones	1976	Aberteifi	24
Yvonne Davies	1977	Wrecsam	26
Siân Teifi	1978	Caerdydd	29
Siân Mair	1979	Caernarfon	33
Owain Parry	1980	Dyffryn Lliw	35
Leslie Williams	1981	Machynlleth	38
Siân Teifi	1982	Abertawe	39
Carys Armstrong	1983	Llangefni	40
Hannah Roberts	1984	Llanbedr Pont Steffan	43
Alma Roberts	1985	Y Rhyl	45
Bethan Jones	1986	Abergwaun	47
Anne Caroline Davies	1987	Porthmadog	49
Ivoreen Williams	1988	Casnewydd	51
Eleri Lewis Jones	1989	Llanrwst	55
atal y wobr	1990	Cwm Rhymni	
Rhian Parry	1991	Yr Wyddgrug	57
Daniel Evans	1992	Aberystwyth	61
Elen Rhys	1993	Llanelwedd	63
Rhodri Wyn Miles	1994	Castell Nedd	65
Carys Wyn Thomas	1995	Bro Colwyn	67
Manon Elis Jones	1996	Llandeilo	69
Nia Cerys	1997	Y Bala	72
Angharad Llwyd	1998	Penybont ar Ogwr	77
Rhian Medi Roberts	1999	Llanbedrgoch	81
Mandy James	2000	Llanelli	83
Mirain Haf	2001	Dinbych	86
Lyndsey Vaughan Parry	2002	Tyddewi	89
Meryl Mererid	2003	Meifod	91
Carwyn John	2004	Casnewydd	93
Bethan Lloyd Dobson	2005	Y Faenol	96
Medwen Parri	2006	Abertawe	97
Rhian Evans	2007	Yr Wyddgrug	101

1963 Llandudno a'r cylch a 1964 Abertawe a'r cylch

STEWART JONES

Yn yr Alban y ganed Stewart Jones a'i fagu yn Rhos-lan, Eifionydd. Treuliodd lawer o'i blentyndod mewn bwthyn ar lethrau Mynydd-y-Cennin tra'n mynychu Ysgol Brynengan am bedair blynedd cyn symud i Ysgol Gynradd Cricieth. Cafodd ei addysg uwchradd yn Ysgol Sir Porthmadog.

'Gadewais yr ysgol yn ystod blynyddoedd olaf yr Ail Ryfel Byd a mynd i weithio ar y rheilffordd. Yn 1946 gadewais y rheilffordd a phrentisio fel saer coed. Bûm yn yr alwedigaeth honno am bymtheg mlynedd nes prynu siop a Swyddfa Bost yng Nghricieth. Oherwydd pwysau gwaith gwerthais y siop a phrynu tŷ mawr ar y Marine, eto yng Nghricieth, a'i droi yn westy. Yno y bu ein cartref nes riteirio.

'Roedd eisteddfota yn rhan o'm bywyd yn ifanc iawn. Yr oedd fy nhad yn fardd cadeiriol ac yn arweinydd cyngherddau ac eisteddfodau yn yr ardal. Yn fy ugeiniau y dechreuais gystadlu, yn y 1950au, pan oedd bri mawr ar yr eisteddfodau – yr oes ddi-deledu oedd hon. Yn y cyfnod hwnnw uchelgais pob adroddwr oedd ennill 'yn y Genedlaethol.' Pan gynigiwyd Gwobr Goffa Llwyd o'r Bryn am y tro cyntaf yn Llandudno, roedd diddordeb mwy na'r cyffredin.

'Y drefn oedd fod y cystadleuydd yn gorfod ennill yn ei ddosbarth ei hun cyn cael yr hawl i gystadlu am y fedal. Gan fod pedwar dosbarth – Meibion dros 25 oed; Merched dros 25 oed; Meibion 18–25 oed a Merched 18–25 oed – roedd pedwar enillydd yn cystadlu yn erbyn ei gilydd. Y pedwar ar y llwyfan yn Llandudno oedd Wenna Williams, y Groeslon; Sylvia Vireen Evans o Gwm Mawr, Llanelli; Aled Jones, Castell Newydd Emlyn a minnau. Yn fy nosbarth roeddwn wedi adrodd detholiad o bryddest Tom Huws, 'Cadwynau'. Rhaid oedd cyflwyno darn gwahanol i'r Wobr Goffa: 'Unrhyw ddarn na chymer fwy na deng munud i'w adrodd, ac nas gosodwyd mewn cystadleuaeth arall.' Dewisais ddetholiad allan o *O Law i Law* (T. Rowland Hughes).

'Gan mai hwn oedd y tro cyntaf i'r Wobr Goffa gael ei chynnig trefnwyd i weddw Llwyd o'r Bryn gyflwyno'r Fedal ar y llwyfan. Yn anffodus, toeddwn i ddim yn bresennol i'w derbyn gan mod i mewn ymarfer, gyda Wilbert Lloyd Roberts, ar gyfer cyflwyno Pasiant mewn theatr yn Llandudno y noson honno. Wyddwn i ddim mod i wedi ennill tan ddiwedd y perfformiad hwnnw.

'Rhyw her bersonol oedd ceisio ennill yr eildro yn olynol yn Abertawe. Y darn prawf yn fy nosbarth y tro hwn oedd detholiad o'r awdl 'Y Meddyg' gan Geraint Lloyd Owen. Yn y car ar fy ffordd i Abertawe, a hithau'n siwrne bump awr, daeth cyfle i ymarfer y darn sawl gwaith drosodd. Er syndod i mi fy hunan fe enillais. Drannoeth, ar gyfer Gwobr Goffa Llwyd o'r Bryn, fe adroddais ddetholiad o bryddest J. M. Edwards, 'Peiriannau'. Bûm yn llwyddiannus eto ac roeddwn i mor falch, oherwydd yr hyn a ddigwyddodd yn Llandudno, o allu bod yno i dderbyn y fedal.

'Yng nghefn y llwyfan, wedi i mi dderbyn 'y tlws', yr oedd Cynan. Ac fel hyn y cyfarchodd yr Archdderwydd fi: 'Stewart! A fuasai'r syniad yn eich goglais chi petaech chi'n cael eich derbyn i'r Orsedd? Mi hoffwn i i'r adroddwyr gael yr un anrhydedd â'r cantorion am ennill y wobr hon.' Wedi myfyrio, derbyn ei gynnig a wneuthum ac fe'm derbyniwyd i Orsedd y Beirdd y flwyddyn ddilynol yn y Drenewydd.

'Fûm i ddim yn cystadlu wedyn, ond credaf fod y blynyddoedd o grwydro o eisteddfod i eisteddfod wedi bod o fudd fawr i mi ac wedi bod yn baratoad da hefyd ar gyfer gwaith radio, theatr a theledu yn y blynyddoedd i ddod.'

1965 Maldwyn a 1968 Y Barri

BRIAN OWEN

Brodor o'r Groeslon, Caernarfon yw Brian Owen, ac mae'n parhau i fyw yn y tŷ lle'i ganed yn 1935. Trist yw cofnodi ei fod bellach yn rhannol ddall. Ond nid yw hyn yn rhwystr iddo fwynhau teithio 'i weld y byd'.

Ffrind agos i'r teulu oedd Dr John Gwilym Jones ac ef a fu'n dwyn perswâd ar Brian i gystadlu fel adroddwr. Ei ddylanwad a'i hyfforddiant ef, yn lled hwyr y dydd, a arweiniodd y bachgen deunaw oed i lwyfannau eisteddfodau lleol a'r Urdd. Pan enillodd Brian y wobr gyntaf am adrodd rhwng 18 a 25 oed yn Eisteddfod Genedlaethol Urdd Gobaith Cymru yng Nghaernarfon yn 1956, yr oedd wedi ei alw i'r lluoedd arfog a'i leoli yng Ngwersyll Tonfannau, Meirionnydd, lle cafodd ei hyfforddiant cyn mynd i Ynys Cyprus.

Wedi dychwelyd, bu'n cystadlu'n llwyddiannus iawn mewn cannoedd o eisteddfodau lleol, yn osgystal â rhai mwy fel Eisteddfod Môn, Talaith a Chadair Powys, Eisteddfod Dyffryn Conwy, Eisteddfod Altrincham ac Eisteddfod Jewin yn y Central Hall, Westminster lle enillodd ar adrodd dan 25 a'r Prif Adroddiad. Pan oedd eisteddfodau lleol yn eu hanterth byddai'n cystadlu ddwywaith neu dair bob wythnos. Ac os digwyddai'r eisteddfodau fod o fewn cyrraedd i'w gilydd, ac heb fod yn rhedeg yn hwyr, arferai Brian a Stewart Jones gystadlu yn erbyn ei gilydd mewn dwy eisteddfod gyfagos a rhannu'r enillion!

Cyflawnodd gamp fawr iawn yn Eisteddfodau Pantyfedwen gan gipio'r wobr gyntaf bum gwaith yn olynol o 1964 ymlaen. Yn 1965 roedd enillydd y Prif Adroddiad, yn ogystal â derbyn swm sylweddol o arian, yn cadw Cwpan Ystrad Fflur am flwyddyn. Cwpan aur unigryw oedd hwn. Gan iddo ennill deirgwaith yn olynol cafodd gadw'r cwpan yn barhaol. Y flwyddyn ganlynol fe'i gwahoddwyd gan drefnwyr yr eisteddfod i gymryd rhan mewn Cyngerdd Mawreddog yn hytrach na chystadlu. Ond mae'r Cwpan Aur, a enillwyd yn 1968, yn cael lle anrhydeddus ar yr aelwyd yn y Groeslon hyd heddiw.

Mentrodd i'r Eisteddfod Genedlaethol am y tro cyntaf ym Mhwllheli 1955 gan ddod yn gyntaf, gyda Wenna Williams [Thomas gynt], ar ddeuawd adrodd gyda detholiad allan o 'Osian a Nia' (T. Gwynn Jones). Daeth i'r brig dan 25 yng Nglynebwy [1958], yng Nghaerdydd dros 25 [1960] gan ennill eto y flwyddyn ganlynol yn Nyffryn Maelor pan gyflwynwyd Medal Aur iddo gan Lywydd Llys yr Eisteddfod, Syr T. H. Parry-Williams.

Enillodd Wobr Goffa Llwyd o'r Bryn am y tro cyntaf yn Eisteddfod Genedlaethol Maldwyn 1965. Detholiad o 'Gwraig' (Mathonwy Hughes) oedd ei ddewis y flwyddyn honno gyda W. H. Roberts, Trefor Edwards a T. James Jones yn beirniadu. Pan gyflawnodd y gamp am yr eildro yn y Barri yn 1968 ei gyd-gystadleuwyr oedd Rhiannon Caffrey, Garry Nicholas, Ainsleigh Davies ac Annwen Williams.

1966 Aberafan a'r cylch

T. JAMES JONES

'Yn Eisteddfod Aberafan a'r Cylch, 1966, enillwyr y pedair cystadleuaeth adrodd i feibion a merched dros a than bump ar hugain oed oedd yn cystadlu am y Llwyd o'r Bryn. Bûm yn ddigon ffodus i ennill y gystadleuaeth i feibion dros bump ar hugain ar y darn gosod, 'Ffynhonnau' Rhydwen Williams. Ar gyfer y Llwyd o'r Bryn bwriadwn gyflwyno detholiad o 'Blewyn o Ddybaco', stori gan D. J. Williams – darn nad oeddwn wedi ei adrodd gerbron cynulleidfa cyn hynny.

'Roeddwn yn lletya ar aelwyd Hugh a Beryl Thomas, ac fe fanteisiais ar y cyfle i gael eu hymateb hwy a rhai ffrindiau a ddaethai heibio noswyl yr ornest. Ac fe fuont yn ddigon gonest i ddweud nad oedd fy newis yn taro deuddeg. Fe'm hanogwyd i gyflwyno, yn ei le, ddetholiad o *Sŵn y Gwynt Sy'n Chwythu* (Kitchener Davies) yr oedd amryw ohonynt wedi ei glywed gennyf droeon. Erbyn hynny, roedd hi marce deg o'r gloch y nos.

'Roedd gennyf ddwy broblem. Yn gyntaf, gan nad oeddwn wedi adrodd y darn ers amser roedd y cof wedi rhydu; yn ail, byddai'n rhaid cael copi ar gyfer y beirniaid yn gynnar fore trannoeth. Roedd fy nghopi i, ar ffurf pamffledyn main a gyhoeddwyd yn sgil darlledu'r bryddest radio, adref yn fy stydi yng Nghaerfyrddin bell. Er chwilio a chwilio ni ddaethpwyd o hyd i gopi yn nhŷ Hugh a Beryl.

'Erbyn hynny, roedd hi'n 'mynd yn rhywbryd' ys dywed D. J. Williams yn *Hen Dŷ Ffarm.* Yn sydyn, roedd Hugh ar y ffôn yn galw Gwyn Tudno, o'i wely fel y digwyddai, i ofyn iddo a oedd ganddo gopi. Ac fe'n croesawodd draw i'w dŷ, nid nepell bant. Yn ei ŵn wisgo dyma Gwyn yn ein hala ni'n dau, Hugh a minnau, i ddwy stafell wahanol i chwilio ymhlith y cannoedd llyfrau am y pamffledyn main. Ymhen ychydig, clywyd gwaedd fuddugoliaethus o stafell arall; roedd Gwyn wedi dod o hyd i'r copi.

'Wedi dychwelyd i dŷ Hugh fe dreuliais tan ddau o'r gloch y bore yn ail-ddwyn y darn i gof cyn ildio'n flinderog am damaid o gwsg. Ond roeddwn ar fy nhraed gyda'r wawr yn y garej a adewid yn wag dros nos yn fwriadol er mwyn i mi gael ymarfer y darn yn uchel heb darfu ar gwsg neb arall.

'Bu'n rhaid i mi ruthro i'r maes er mwyn rhoi'r copi mewn pryd i'r swyddogion. Ac i gymhlethu'r sefyllfa fwyfwy, trefnaswn gwrdd ag Eiri Jenkins, un o'm disgyblion a oedd wedi ennill yn y gystadleuaeth i ferched dan bump ar hugain ac a oedd, felly, yn ymgiprys â mi am y Llwyd o'r Bryn! 'Rhydcymerau' Gwenallt oedd ei dewis ddarn hithau, a bûm yn gwrando arni'n mynd trwyddo, cyn dymuno'n dda i'n gilydd! Dylwn nodi hefyd mai enillydd y gystadleuaeth i feibion dan bump ar hugain oedd fy nghefnder annwyl, Ainsleigh Davies. Felly trefnodd y ffawd eisteddfodol ornest bersonol iawn i mi!

'Am un ar ddeg o'r gloch safwn ar y llwyfan yn cyhoeddi'r teitl, 'Detholiad o *Sŵn y Gwynt Sy'n Chwythu* gan Kitchener Davies' gerbron y beirniaid, W.H. Roberts, J.O. Roberts ac Emyr Jones. Ond yn sydyn, fe'm parlyswyd; fedrwn i ddim cofio'r gair cyntaf! Roedd blinder yn sgîl fy holl ymdrechion dros nos wedi fy mwrw fel gordd. Doedd dim amdani ond cerdded o'r llwyfan. Roeddwn ar orchymyn fy nhroed dde i symud pan gofiais y llinell agoriadol ac fe lifodd y gweddill yn rhyfeddol o ddiymdrech.

'Fedrwn i ddim llai na gwenu pan glywais W.H. Roberts yn agor ei feirniadaeth drwy dynnu sylw at y 'saib dramatig, huawdl, hynod effeithiol' ar ddechrau fy nghyflwyniad! Bûm yn tynnu ei goes am y sylw caredig, hollol anhaeddiannol hwnnw, droeon wedyn.'

1967 Y Bala

ALED GWYN

Am un o'r troeon cyntaf, ond nid y tro olaf o bell ffordd, dyma enghraifft o 'fois Parc-nest' yn dilyn ei gilydd. Ganed Aled ar 20 Awst 1940 yng Nghastellnewydd Emlyn, Sir Gaerfyrddin. Bu'n weinidog gyda'r Annibynwyr am un mlynedd ar bymtheg yn ardal Henllan Amgoed, Sir Gaerfyrddin a Soar Maes-yr-haf, Castell-nedd, Gorllewin Morgannwg. Etholwyd ef yn Gynghorwr Sir a Dosbarth yng Nghaerfyrddin, Dyfed a Gorllewin Morgannwg am ddeng mlynedd. Yna bu'n newyddiadurwr yn Adran Newyddion y BBC am ddeunaw mlynedd. Ar hyn o bryd mae'n gweithio fel cyfieithydd yng Nghaerdydd.

'Aeth ein mam â ni fel brodyr, Jim, John a finnau, i eisteddfodau tair sir Dyfed o oedran cynnar iawn, a hefyd yn flynyddol am wythnos i'r Eisteddfod Genedlaethol. Fy eisteddfod genedlaethol gyntaf i oedd Bae Colwyn ym 1947. Mam oedd yn mynnu ein bod yn dysgu a pharatoi darnau i'w hadrodd, ond fe gawsom athro cynnar yn Edwin Thomas, adroddwr o'r hen deip, yng Nghastellnewydd Emlyn. Roedd cael dau frawd hŷn oedd hefyd yn adrodd yn fantais, ac yn batrwm i'w efelychu. Hefyd cefais anogaeth gan Gwynedd Jones, Pencader a Mati Rees, Abertawe. Yn lled gynnar cael gwobr gyntaf yn Eisteddfod Is-Genedlaethol Aberteifi a Cynan yn feirniad, tystysgrif yr oedd mam yn ei thrysori. Yn ddiweddarach bu cynghorion Emyr Jones y darlithydd ynghyd â'r actor W. H. Roberts, Niwbwrch a Cassie Davies, yr Arolygydd Ysgolion, yn gymorth mawr.

'Cael mwy na'm haeddiant o lwc yn y Genedlaethol gan ennill rhyw ddeg gwobr gyntaf yn ystod chwedegau'r ganrif ddiwethaf: dwy o'r gwobrau am adrodd i gyfeiliant a Buddug ac Alun Tegryn, dau o selogion Aelwyd yr Urdd, Aberporth, yn eu tro yn cyfeilio.

'Uchafbwynt fy ngyrfa eisteddfodol oedd ennill tair gwobr gyntaf yn Eisteddfod Genedlaethol Llanelli 1962 a dwy wobr gyntaf yn Eisteddfod Genedlaethol y Bala 1967, ac yno gael y lwc o ennill Gwobr Goffa Llwyd o'r Bryn, a'i nai, Trebor Lloyd Evans yn brif feirniad; y darn gosod oedd detholiad o gyfrol Llwyd o'r Bryn ei hun, *Y Pethe.* Mae cof gennyf fod Llwyd o'r Bryn, pan ddaeth i gyffiniau Castellnewydd Emlyn ar daith ddarlithio, wedi galw gyda ni ar y ffarm. Byddai hefyd yn dod ar ei dro i blasty'r Cilgwyn ar gyrion y dref i gynadleddau. Efallai hefyd i'r ffaith i Mam-gu gael ei geni yn y Bala fod yn rhywfaint o ysbrydoliaeth.

'Cofio aros yn Nhŷ'r Ysgol Dinmael, ond cael a chael oedd hi i mi lwyddo i adrodd gan fod y nosweithiau hwyr a'r glaw wedi andwyo'r llais. Drwy gyd-ddigwyddiad roedd Eisteddfod y Bala yn eisteddfod gynhyrchiol i blwyf Cenarth, Castellnewydd Emlyn gan i'r Prifardd Eluned Phillips ennill y goron yno.

'Ar ôl gadael y cystadlu efallai bod hyfforddi eraill i adrodd yn rhoi mwy o bleser hyd yn oed, a gwefr arbennig oedd gweld Sian Teifi, y cefais i'r fraint o'i hyfforddi am gyfnod, yn cipio'r Llwyd o'r Bryn ac yn mynd un yn well na mi drwy ei hennill ddwywaith.'

1969 Y Fflint

ANNE WINSTON

O Dre-fach Felindre, ym mhlwy Llangeler, Sir Gaerfyrddin y daw y ferch gyntaf i ennill Gwobr Goffa Llwyd o'r Bryn. Ei henw bellach yw Anne Winston-Pash. Ganed hi yn y Glasdir, ei chartref, ar 23 Hydref 1946.

Roedd y teulu'n aelodau yng nghapel y Methodistiaid Clos-y-graig a'i mam mewn parti cyd-adrodd dan gyfarwyddid y gweinidog, y Parchedig M. L. Thomas. Pump oed oedd Anne, a'i chwaer Norma yn dair, pan fentrodd y ddwy i'r llwyfan yn eisteddfod y pentref i adrodd dan chwech oed. 'Y Pwff Pwff Trên' oedd dewis Norma ond 'Dwy Gwningen Fechan' y chwaer fawr aeth â hi. Enillodd Anne y wobr gyntaf yn ei heisteddfod gyntaf.

Un o Abertawe oedd eu tad ac, ar y pryd, yn ddi-Gymraeg. 'Ond o'r funud enilles i, fe ddechreuodd e gymryd diddordeb. Fe o'dd yn mynd â ni o amgylch y wlad i steddfota. Mamau'r lleill o'dd yn dod â nhw a Dadi fydde'r unig ddyn yn yr eisteddfode ran amlaf. Bydde pob darn oeddwn i a Norma yn adrodd ar ei gof. Felly, fe ddysgodd Gymraeg yn glou iawn!'

Mrs Jones Croes-lan, mam Myra, a fu'n hyfforddi cynifer o ieuenctid yn y gogledd, oedd yr hyfforddwraig gyntaf. 'Benthyg car Da'cu [Tom Morgan] a bant â ni. Weithiau fydden ni'n dod adre, yn oriau mân y bore, a phump neu chwech o gwpane o wahanol eisteddfode, a Da'cu wedi aros lan i weld shwt a'th pethe.' Yr hyfforddwr nesaf oedd y Parchedig O. T. Evans, gweinidog gyda'r Annibynwyr yn Seilo Llangeler.

Fel capten Tŷ yn Ysgol Ramadeg Llandysul y cafodd Anne ei hunan y profiad cyntaf o hyfforddi. Bellach, fel athrawes yn Ysgol y Preseli, mae'n brofiadol iawn yn y cyfeiriad hwnnw. A phrofwyd llwyddiant, fel y gwnaeth hi ei hun, yn Eisteddfodau'r Urdd.

Mentrodd Anne gyntaf i'r Eisteddfod Genedlaethol yn Llanelli 1962. Cafodd lwyfan. Ni wyddai eu bod yn disgwyl wrthi gefn llwyfan a phan gafodd y neges rhedodd yno ar ei hunion. 'Ond roeddwn i ma's o bwff yn cyrraedd y llwyfan. A thrydydd ges i!' Enillodd yn Abertawe yn 1964 a hithau yn y Chweched Dosbarth yn Ysgol Ramadeg Llandysul. Pan oedd yn fyfyrwraig yng Ngholeg Hyfforddi Athrawon Cyncoed, Caerdydd enillodd ar adrodd dan bump ar hugain yn Eisteddfod Genedlaethol yr Urdd yng Nghaerfyrddin. Yr oedd gwell i ddod.

Y dewisiad yn Y Fflint oedd 'Branwen' (T. Llew Jones). 'Roeddwn i wedi dwlu ar y darn. A'r unig ffordd i ddehongli'r gerdd o'dd i'w theimlo yn nyfnder fy nghalon. Pwy alle' nysgu i? O'dd Jim [T. James Jones] yn weinidog yng Nghaerfyrddin. A dyna'r ateb. Es i lan i'r Fflint i fwynhau; becso am ddim. 'Na beth yw bod yn ifanc! Y sioc fwya o ennill o'dd mynd ymlaen i'r Llwyd o'r Bryn. Lwcus mod i wedi parhau i gystadlu'n gyson oherwydd o'dd rhan o'r bryddest 'Ffenestri' (W. J. Gruffydd) ar y cof. Ymarfer gyda Jim tu ôl i ryw stondinau ar y maes ac i'r llwyfan. Y tri arall o'dd Vernon Jones, Bow Street, Rhiannon Alun Evans, Caerdydd, ac Eirug Wyn Davies o Hermon, Sir Benfro. A finne mor falch o ennill gan i Llwyd o'r Bryn roi gwobr i fi unwaith, yn Eisteddfod Llwynrhydowen.

'Am unwaith doedd fy rhieni ddim gyda fi. O'n nhw ar wyliau yn Iwerddon. Clywed am fy llwyddiant ar y radio wnaethon nhw. Roedd capel Closygraig am roi rhywbeth i fi i gofio'r achlysur o ennill yn Y Fflint. Dewises i fap Speed o ogledd Sir Gaerfyrddin a de Ceredigion (sir fy ngeni a sir fy addysg). Yn fuan, map o'r Dwyrain Pell oedd ei angen oherwydd roeddwn i ar fin gadael Cymru i fynd i ddysgu i Singapore!

'Wedi dychwelyd adre fe roddais i un *shot* arall arni i weld a oedd e yno'i o hyd. Daeth y cyfle ar ôl darllen pryddest fuddugol Jim Parc-nest yn Abergwaun, sef 'Llwch'. Adroddais ddetholiad ohoni yn Eisteddfod Pantyfedwen ym Mhontrhydfendigaid ac ennill. Wedi profi i mi fy hun y gallwn i ei gwneud hi, dyma droi wedyn at feirniadu a hyfforddi – a mwynhau hynny hefyd.'

1970 Rhydaman a'r cylch

G. WYN JAMES

Bu farw Wyn James chwe blynedd yn ôl.
Lluniwyd y portread hwn gan ei ferch, Meleri Wyn James.

Dwi ddim yn cofio dad fel cystadleuydd. Roedd wedi cyrraedd y brig fel adroddwr, o'r bron, cyn i mi gael fy ngeni – ond dydy hynny ddim cweit yn gywir chwaith. Fe allech chi ddweud i Dad ennill y dwbwl yn ystod haf 1970 – cipio'r fedal am Wobr Llwyd o'r Bryn ac, yn goron ar y cyfan, geni'r babi cynta. Fi!

Ni allaf honni 'mod i'n cofio rhyw lawer am y diwrnod hwnnw yn Eisteddfod Rhydaman a'r Cylch. Wel, beth yw diléit rhywun pan maen nhw'n chwe wythnos oed? Llaeth a chwsg yn hytrach na chystadlu! Ond gallaf ddweud un peth yn falch, *'I woz there!'*. A bydd unrhyw un oedd yn nabod Dad yn deall arwyddocad hynny. Roedd cael dweud ei fod yno ei hun i brofi digwyddiad yn bwysig, a hwyrach bod hynny'n dweud rhywbeth amdano. 'Os na fydda' i'n hunan . . .' Dyna hoff ddywediad arall a geiriau cymwys ar gyfer unrhyw achlysur pan oedd rhywbeth wedi mynd o'i le oherwydd ei absenoldeb! Gwell oedd ganddo wneud rhywbeth ei hun a gwybod yn saff iddo gael ei wneud yn iawn. Roedd hynny'n rhoi iddo ethig gwaith a chydbwybod gymdeithasol cryf. Golygai ei fod yn ffyddlon ei bresenoldeb mewn cymdeithas, capel ac ar aelwyd yn ei filltir sgwâr yn ogystal â chyfarfodydd cenedlaethol ym maes addysg a diwylliant. Creadur pwyllog ydoedd o reddf, ond os oedd yn rhoi ei fryd ar rywbeth fe fyddai'n mynd amdani. Felly, Gwobr Llwyd o'r Bryn.

Roedd Rhydaman yn Eisteddfod brysur i Dad a Mam. Ro'n nhw'n dipyn o strabs, glei! Rhieni newydd neu beidio, gan eu bod yn byw yn Heol Alan, Llandeilo, roedd yr Eisteddfod yn lleol ac roedd isie cystadlu – Dad yn unigol a Mam gyda Chôr Telyn Teilo, a ffurfiwyd gan Noel John yn arbennig y flwyddyn honno. (Gallwch ychwanegu at gamp Mam fy mod yn enedigaeth Gesaraidd a'i bod yn fy mwydo o'r fron!)

Mynd yn ling-di-long ar hyd y Maes yr oedd Mam a minnau wrth i Dad fynd trwy'i bethau – adroddiad digri a detholiad allan o stori D.J.Williams, 'Y Capten a'r Genhadaeth Dramor'. Pan ddaeth y feirniadaeth roedd Mam yn clustfeinio ar yr uchelseinydd a phan gyhoeddwyd mai Dad oedd yn fuddugol fe adawodd y babi a'r pram gyda ffrind a rhedeg i gefn y llwyfan!.

Adroddwr oedd Dad o'r cynta, gan ddechrau'n grwtyn ifanc. Cafodd dipyn bach o lwyddiant 'fyd, gan drechu yng Ngwyl Fawr Aberteifi – neu'r *Semi-Nash* fel y'i gelwyd yn lleol! Cofiaf am y cabinet tseina yn y Post yn disgleirio achos y ciwed cwpanau ac ro'n i wrth fy modd yn cael helpu Mam-gu i'w polisho gyda Silvo. Wrth gwrs, doedd dim cwpan ym mhob Eisteddfod ac, a bod yn onest, Cardi i'r carn oedd Dad. Gwell ganddo gael arian!

Falle mai'r ffaith iddo ddysgu cymaint o farddoniaeth fel plentyn wnaeth ennyn ei ddiddordeb mewn barddoni. Fe fyddai'n cynganeddu yn y car wrth deithio i bwyllgora.

Y Parchedig Tegryn Davies oedd yn hyfforddi Dad. Fe a Mrs Davies oedd yn gyfrifol am godi aelwyd yr Urdd yn Ardal Aberporth ac yn y 1990au, pan oedd Dad yn gwneud gradd allanol M.Th., fe ysgrifennodd deyrnged iddynt o'r enw *Y Fe a Hi 'Ma*. Arferai ddweud yn ei ffordd awgrymog iddo dreulio lot o amser ar ei draed yn Y Marian, cartre'r Davies's.

Wrth baratoi i gystadlu yn Eisteddfod Genedlaethol Rhydaman fe aeth Dad at Morgan Roberts, Hendy-gwyn ar Daf, i gael hyfforddiant. Roedd e'n ewythr i'r diweddar Ryan Davies ac wedi ennill yn y Genedlaethol ar adrodd ei hun. Ar ôl cael llwyfan mewn eisteddfodau ac yn y capel, doedd dim ofn llwyfannau'r byd arno, fel petai. Roedd yn arfer â bod yn gyhoeddus. Rhoddodd hynny hyder iddo fel oedolyn, fel prifathro ac Ysgrifennydd Cenedlaethol Undeb Athrawon Cymru. Wedi dweud hynny, roedd yn paratoi'n drylwyr a chofiaf amdano o flaen y lle tân yn ymarfer – nage, yn perfformio! – sawl araith i'w 'gynulleidfa' a ninnau, y teulu bach, yn rholio'n llygaid weithiau!

Wedi ei eni yn fab i saer ym mhentre' Beulah, rhwng Castellnewydd Emlyn ac Aberporth, fe oedd y cynta' o'r teulu i fynd i brifysgol. Yn wahanol i'r gred gyffredinol, nid Cymraeg oedd ei bwnc. Graddiodd mewn Ffiseg o Goleg Prifysgol Abertawe. Ond fe fyddai'n ymhyfrydu yn ei wreiddiau, fel 'Wyn James, Beulah Road', wrth gael ei urddo i'r Wisg Werdd, ar ôl buddugoliaeth Rhydaman, ac yn ddiweddarach, y Wisg Wen er anrhydedd.

Aeth i ddysgu, yn Ysgol y Moelwyn, Blaenau Ffestinog, ac yna'n bennaeth Adran Ffiseg Ysgol Uwchradd Llanfyllin ac Ysgol Pantycelyn, Llanymddyfri. Ac roedd yn dal i geisio llwyfan ehangach – yn adrodd mewn steddfodau a chyngherddau ac arwain nosweithiau llawen.

Ar ddechrau'r saithdegau newidiodd cwrs ei yrfa ac aeth yn bennaeth Ysgol Gynradd Capel Cynon, ger Ffostrasol, Ceredigion ac yna i Ysgol Gynradd Pontgarreg, ger Llangrannog. Yn yr wythdegau, newidiodd gwrs eto a daeth yn Ysgrifennydd Cenedlaethol UCAC. Bu yn y swydd honno nes gorfod rhoi'r gorau iddi oherwydd tor-iechyd. Bu farw o ganser ym Mai 2002 yn 63 oed.

Fe fu Dad yn teithio gyda Bois y Blacbord ac yn beirniadu'n lleol ac yn genedlaethol, ond ni fu'n cystadlu llawer ar ôl ennill y Llwyd o'r Bryn. Mae'n siŵr bod hynny'n dweud rhywbeth amdano hefyd. Roedd wrth ei fodd iddo ennill a theimlai iddo gyrraedd rhyw fan, cyflawni uchelgais. Dwi ddim yn meddwl ei fod yn brin o gyts, ond falle bod yn well ganddo droi ei olygon at y sialens nesa'.

1971 Bangor a'r Cylch

ENID PARRI [Evans]

'Ym Mhencraig Fawr ar y ffin rhwng plwyfi Bryncroes a Sarn ym Mhen Llŷn roeddwn i'n byw. Roedd fy mam wrth ei bodd mewn eisteddfodau, ac felly digon naturiol oedd i mi ddechrau cystadlu yn ifanc – yn agos i adra i ddechrau, Eisteddfod Uwchmynydd ar ddydd Llun y Pasg ac Eisteddfod Ysgolion Sul dosbarth Pen Llŷn o dan bedair, chwech, wyth, deg . . . Fel yr es yn hŷn, crwydro ar led – Mynytho, Bwlchtocyn, Ceidio, Cilgwyn, Bethesda, Bytlins, a hyd yn oed yr eisteddfodau mwy fel Eisteddfod Môn, a rhai mewn tent fel Eisteddfod Llangwm.

'Wrth fynd yn hŷn deuai ychydig yn fwy o lwyddiant. Ond y peth oedd yn cyfrif oedd cael dweud geiriau da wrth gynulleidfa oedd yn fodlon gwrando'n astud a mwynhau'r geiriau hynny. Roedd gan fy Yncl Tom [Syr Thomas Parry] ffrind yn byw yn y Groeslon wrth ymyl Caernarfon, un a oedd yn ymwneud ag actio a dramâu a phethau felly. Mi soniodd o unwaith neu ddwy y dylwn i fynd i'r Eisteddfod Genedlaethol i gystadlu ac, er ein bod ni'n gweld hynny'n beth braidd yn bowld i'w wneud, dyma feddwl efallai y byddai'n werth mentro os oedd o'n meddwl y dylwn i. A dyna ddechrau'r ymgyrch eisteddfodol flynyddol i'r Genedlaethol.

'Bûm yn ffodus a chael llwyfan aml dro – dan bedair ar bymtheg i ddechrau ac yna ymlaen i'r dan bump ar hugain. Roedd Eisteddfod Genedlaethol Bangor 1971 ar dir Castell Penrhyn. Bellach roeddwn i ar fy mlwyddyn olaf yn y coleg ym Mangor, yn paratoi i fod yn athrawes a'r dyn o'r Groeslon wedi bod yno'n ddarlithydd gydol fy nghyfnod fel myfyriwr.

'Yr unig lecyn golau i mi mewn dyddiau coleg oedd yr Eisteddfod Ryng-golegol a chynyrchiadau'r Gymdeithas Ddrama Gymraeg. Yn ystod wythnos yr eisteddfod ym Mangor cefais gynnig gan Wilbert Lloyd Roberts i berfformio mewn dau gynhyrchiad gan Gwmni Theatr Cymru sef *Tair Drama* gan John Gwilym Jones – y dyn o'r Groeslon – a rhaglen deyrnged i T. Gwynn Jones. Golygai hynny wythnos brysur iawn oedd yn peri na roddwyd y sylw dyladwy i ymarfer yr adrodd dan bump ar hugain. Felly, syndod oedd gweld, pan ddaeth canlyniad y rhagbrawf, fy mod wedi cael llwyfan; mwy fyth o syndod fu ennill. Trodd y syndod yn syfrdan o sylweddoli y buaswn i'n un o'r pedwar gai'r cyfle i gystadlu am Wobr Goffa Llwyd o'r Bryn.

'Bu pwyllgor brys ym Mhencraig gyda'r nos wedi'r fuddugoliaeth dan bump ar hugain, i drafod darnau! Trwy drugaredd roedd darn addas ar gael, wedi ei ddysgu ar gyfer eisteddfod ryng-golegol Aberystwyth flwyddyn ynghynt sef detholiad o *Sŵn y Gwynt Sy'n Chwythu* (Kitchener Davies).

'Digon dibryder oedd bore'r gystadleuaeth pan wawriodd, gan mai'r unig nôd oedd gwneud perfformiad graenus a theilwng. Roedd y buddugwyr eraill yn enwau adnabyddus – Ellis Wyn Roberts, Theodora Jones a Selwyn Jones – ac yn bobl brofiadol, yn peri nad oedd i mi ennill yn ystyriaeth o gwbl. Felly, doedd dim angen pryderu. Aeth pethau'n iawn ar y llwyfan; dim bagliad na phall ar y cof, ac mewn rhyddhad bodlon yr aeth fy mam a minnau i chwilio am baned. Roedd cystadleuaeth gorawl, faith, cyn y feirniadaeth a'r dyfarniad. A dyna pryd y trawodd y nerfau a'r poeni, achos dywedai pobl ar y Maes bethau caredig, a rhai fel pe'n awgrymu y dylwn i ennill. Dechrau ystyried o ddifrif wedyn – efallai bod gobaith . . . beth taswn i yn . . . Dyna i chi faith oedd y caneuon a ganai'r corau hynny y diwrnod hwnnw!'

1972 Sir Benfro

ALUN MORGAN LLOYD

Ganed Alun Morgan Lloyd ym mhentref Saron, ger Llandybïe, yn ystod yr Ail Ryfel Byd. Pentref glofaol oedd Saron yn ystod y cyfnod hwnnw, ac roedd yntau yn fab i löwr. Canolbwynt holl weithgaredd y fro oedd capel Bedyddwyr y pentre gyda'i festri, lle cynhaliwyd cyngherddau, dramâu, a'r Eisteddfod Flynyddol. Does dim ryfedd, felly, i Alun droedio llwyfan yn gynnar yn ei fywyd gan fod disgwyl i holl blant yr ysgol gymryd rhan yn gyson yn yr eisteddfod.

'Doedd gen i fawr o lais canu, ac roeddwn i'n ei chael hi'n anoddach fyth i gadw mewn tiwn. Felly, ches i fawr o ddewis ond bod yn adroddwr! Fy atgof cyntaf o gystadlu yw adrodd y darn 'Cwningod' o flaen rhyw foi bach od o Sir Benfro o'r enw Waldo! Enillais i mo'r gystadleuaeth, ond ar y pryd rwy'n cofio lico'r beirniad gan ei fod e wedi gwneud i bawb chwerthin. Flynyddoedd yn ddiweddarach y sylweddolais i mod i wedi cael braint fwya fy mywyd o gael rhannu llwyfan gyda'm harwr, yr anfarwol Waldo Williams.

'Roedd y dwymyn cystadlu wedi gafael. Yn fuan dechreuais gystadlu'n rheolaidd yn eisteddfodau'r trefi a'r pentrefi cyfagos. Pêl-droed a rygbi aeth â'm bryd wedi i mi adael yr ysgol fach, a bu'n rhaid i'r adrodd fynd o'r neilltu nes ailgydio ynddi'n tra'n fyfyriwr yng Ngholeg y Drindod, Caerfyrddin. Yno, des dan ddylanwad Norah Isaac, a gweld cyfle i elwa ar hyfforddiant drama Norah trwy ail-dechrau ar y cylch eisteddfodol, gan addasu areithiau cymeriadau'r dramâu ar gyfer cystadleuaeth yr Her Adroddiad! Gwyddai Norah Isaac yn iawn bod hynny'n digwydd a bu'n rhaid i mi dderbyn mwy nag un gic gas ar fore Llun am gampau'r penwythnos.

'Wedi gadael coleg, cefais gyfle i actio yn nramâu T. James Jones. Uchafbwynt y cyfnod hwnnw oedd chwarae'r Ail Lais yn y cynhyrchiad cyntaf erioed o *Dan y Wenallt.* Wedi mwynhau diddanu cynulleidafoedd gyda sôn am Laregyb, trios fy ngorwelion wedyn ar ennill y Genedlaethol, ac yn arbennig felly y Rhuban Glas.

'Roedd gwell trefn ar fy mharatoi o dan hyfforddiant Jim Parc-nest ac fe ddes i'n agos ati yn yr Eisteddfod Genedlaethol yn Rhydaman (1970). Darn allan o'r nofel *Yn Chwech ar Hugain Oed* (D. J. Williams) oedd y dewis. Fe gefais i hwyl anghyffredin arni yn y rhagbrawf, hynny yw nes iddi nosi arna i a dim ond tair llinell i fynd! Ro'n i dipyn mwy blin â'n hunan wedi clywed y beirniad, J. O. Roberts, yn dweud o'r llwyfan y bydde fe 'wedi hoffi i'r gynulleidfa glywed Alun, ond mi dorrodd o i lawr yn y rhagbrawf'. Aeth ennill Gwobr Goffa Llwyd o'r Bryn yn rhyw fath o obsesiwn wedyn a gwireddais fy mreuddwyd yn Hwlffordd 1972.

'Ennill y gystadleuaeth i feibion dros 25 oed agorodd y drws, a thrwy hynny ennill yr hawl i gystadlu eto am y Rhuban Glas. Dewisais y darn 'I Gwestiynau Fy Mab' (Dafydd Rowlands), a llanwodd fy nghalon â balchder pan roddodd y diweddar Cassie Davies y fedal am fy ngwddf. Gallaf grynhoi'r atgofion am yr eisteddfod honno mewn tri gair: gorfoledd, balchder . . . ac awyrennau! Y gorfoledd o wireddu breuddwyd; y balchder o gael ymuno â chriw dethol o enillwyr y brif gystadleuaeth a'r sŵn byddarol uwchben yn ystod y cystadlu. Rwy'n dweud hyd heddiw bod ambell i beilot wedi dod yn ddigon agos i glywed y traethu o'r llwyfan!'

Mae Alun bellach wedi ymgartrefu yn Llandybïe ers blynyddoedd gan ddilyn gyrfa ym myd addysg. Er hynny, mae'r anian actio mor agos i'w galon ag erioed ac mae'n treulio'i oriau hamdden yn cynhyrchu dramâu lleol. 'Yn ôl y gwybodusion fy mhrif wendid fel adroddwr oedd fy arddull actio. Daeth tro ar fyd. Onid dyna beth mae nhw'n chwilio amdano heddiw yn y byd 'llefaru'? Rwyt ti wedi bod yn lwcus Ioan Gruffudd!'

1974 Bro Myrddin

EIRI JENKINS

'Byddai mynd am wers lefaru yn rhywbeth a ddigwyddai yn wythnosol bron i fi ers bod yn ryw naw neu ddeg oed. Byddai eisteddfota'n ddigwyddiad wythnosol hefyd. Braf oedd cael mynd i eisteddfodau bach, a hynny mewn pentrefi anghysbell ymhob twll a chornel o Geredigion, Penfro a Chaerfyrddin. Weithiau, yn y cyfnod cynnar hwnnw, byddai'r daith bws yn dechrau yn gynnar ar fore Sadwrn. Roedd hyn, wrth gwrs, cyn cyfnod cael car! A'r hwyl a gaem ni blant wrth ganu bron bob cam o'r daith. Gwyrth oedd bod y lleisiau'n para cystal. Doedd dim sôn am gythraul canu, neu'n hytrach gythraul llefaru, gan ein bod yn un teulu mawr. Aeth cystadlu i'r gwaed rywsut. Ennill neu golli, roedd gwefr mewn cystadlu. Ymhen amser daeth cyfle i ddilyn yr eisteddfodau mawr, y *Semi-Nash* fel y'u gelwid, a'r rheiny'n cael eu cynnal mewn pabell fawr, nid ryw neuadd neu gapel di-nod. Byddai'r paratoadau a'r gwersi yn fwy mynych yn ystod y cyfnodau hynny, a'r cystadlu'n frwd a disgwylgar gan fod eisteddfodwyr pybyr yn dod yno o'r gogledd. Hwyl yn wir oedd cael ffrindiau newydd o bellafoedd daear!

'Deuai wythnos o wyliau yn ystod yr Eisteddfod Genedlaethol. Ac nid oedd wiw i ni'r plant sôn am fynd i unrhyw lan môr cyfagos yn ystod y dyddiau cyn y cystadlu, rhag ofn i ni gael annwyd a cholli'n llais. Byddai hynny'n tanseilio ein gobaith am lwyfan! Ie, dyddiau braf oedd y rheiny.

'Pan ddaeth yr Eisteddfod Genedlaethol i Gaerfyrddin yn 1974, daeth cyfle i geisio am Wobr Goffa Llwyd o'r Bryn gan fod y gystadleuaeth honno'n agored i unrhyw un. Penderfynwyd dysgu cyfieithiad T. James Jones o *Under Milk Wood*, sef *Dan y Wenallt*, gan mai ef oedd yn fy hyfforddi. Bu'r wythnosau cyn yr eisteddfod yn fwrlwm parhaus o wahanol ymarferion. Mynd i'r prawf yng nghapel Peniel brynhawn Gwener ar ôl wythnosau caled a phrysur yn dysgu'r darn, yn paratoi plant Ysgol Llangynnwr gogyfer â Chyngerdd y Plant, yn ogystal â dysgu darnau cerdd dant, gan fy mod yn aelod o Barti Cerdd Dant Merched Myrddin. Bu'r cyngerdd yn llwyddiannus, a chafodd y parti merched lwyddiant hefyd. Roedd y rhagbrawf y prynhawn Gwener hwnnw yn her a theimlwn ruthr o adrenalin yn sgîl y llwyddiant a gafwyd ddechrau'r wythnos. Os cofiaf yn iawn, rhyw bymtheg fu'n cystadlu.

'Pan gyhoeddwyd canlyniad y rhagbrawf, cefais wefr o glywed fy mod i i lwyfannu gyda dau arall, y ddau o'r gogledd, am ddeg o'r gloch y bore yn y Pafiliwn Mawr. Hon oedd un o gystadlaethau cyntaf y bore Sadwrn hwnnw.

'Roedd bod ar lwyfan y Genedlaethol yn her, gan fy mod yn cystadlu yn erbyn dau adroddwr profiadol. Cofiaf yn glir mai fi oedd yr olaf i lefaru, ac o'r herwydd ni fedraf yn fy myw gofio perfformiadau'r ddau arall, gan fy mod yn rhy brysur y tu cefn i'r llwyfan yn ymarfer geiriau Lili Bwt ac yn pryderu am ganu cân Poli Gardis, i enwi dwy yn unig o'r amryw gymeriadau lliwgar oedd yn y detholiad. Ac roedd cynghorion James Jones am lwyfannu yn troelli yn fy mhen yn ddi-stop!

'Bu'n rhaid aros hydoedd am y dyfarniad, gan fod cystadleuaeth Rhuban Glas i gantorion yn dilyn y gystadleuaeth lefaru. Nid wyf yn sicr erbyn hyn ai dyfarniad yn unig ynteu feirniadaeth lawn a gafwyd o'r llwyfan gan y beirniad J. O. Roberts. Ond rwy'n gwbl sicr o hyn – dyfarnwyd Gwobr Goffa Llwyd o'r Bryn y flwyddyn honno i fi!'

1975 Bro Dwyfor

NELI WILLIAMS

Yn Nhir-gwyn, Llannor, ger Pwllheli ar 12 Mehefin 1925 fe anwyd merch fach, a chafodd ei chofrestru yn Elen. 'Ond chefais i 'rioed fy ngalw yn ddim ond Neli. I'r capel ym Mhentre-ucha y byddem ni'n mynd ac yno, tua diwedd y dauddegau, y dechreuodd y busnes adrodd 'ma.

'Band of Hope (sylwer, nid cyfarfod plant!), a ninnau'n cael ein hyfforddi ar gyfer steddfod y pentre. Rwy'n cofio cystadlu o dan bump oed. Felly y cefais i'r wobr gyntaf am adrodd. Y gwobrau? Wel, grôt i'r cynta, tair ceiniog i'r ail, dwy geiniog i'r trydydd a cheiniog i bawb arall am drïo!

'Fel dois i'n hŷn, mynd o steddfod i steddfod yn yr ardal; cystadlu efo Aelwyd yr Urdd ym Mhentre-ucha, ond dim llawer o lwc – ddim pellach na'r sir. Roeddwn yn bedair ar hugain yn cystadlu am y tro cyntaf yn y Genedlaethol a hynny yn Nolgellau yn 1949. Ail gefais i. A dyna'r 'ail' cyntaf o ddeg. Meddyliwch wir! Dod yn ail ddeg gwaith. Doedd ryfedd fod pobol wedi dechrau fy ngalw'n 'Neli'r Ail'!

'Ym Mro Dwyfor yn '75 y daeth y degfed 'ail' i'm rhan. Adrodd tafodiaith ar y dydd Mawrth. Dwi'n cofio mai gwaith Harri Parri am Ben Llŷn oedd fy newis i. Ond fe ddaeth pnawn Gwener, a rhagbrawf y Llwyd o'r Bryn. Roedd yna nifer pur dda yn cystadlu. Soned 'Maes y Plwm' (D. S. Jones) ac unrhyw ddarn o'ch dewis nad oeddech wedi ei adrodd o lwyfan y Genedlaethol o'r blaen oedd y dasg. Fe ddewisais 'Dychwelyd' (Rhydwen Williams).

'Y diweddar annwyl J. R. Jones, Tal-y-bont, Aled Gwyn a Ruth Price yn dri beirniad; Enid Parri yn Ysgrifennydd y rhagbrawf, ac yn cyhoeddi enwau'r tri oedd i ymddangos ddydd Sadwrn – Caradog Evans, fi, a fedra i yn fy myw gofio pwy oedd y llall. [Sarah Tudor oedd hi – Gol.] Chysgais i fawr y nos Wener honno, dim ond troi a throsi; ofn anghofio a gweld yr AIL nesaf yn dod i'm rhan!

'Bore Sadwrn, cychwyn am Gricieth, a'r teulu a ffrindiau wedi dod i gefnogi. Mynd tu ôl i'r llwyfan yn llawer rhy fuan, a dod wyneb yn wyneb ag Aled Gwyn. 'Neli fach,' medda fo, 'ewch am baned. Maen nhw'n rhedeg yn hwyr.' I'r toiled yr es i. Yr oedd gweld y gair yn ddigon!

'Cofio cerdded ar y llwyfan a gweld y môr wynebau 'ma, a theimlo'n ofnadwy o unig, er bod yr Arweinydd Llwyfan, J. O. Roberts, yn wych. Fe sibrydodd 'Cym d'amser, chdi biau'r llwyfan rŵan.' Wedi'r gystadleuaeth, hir ddisgwyl am y canlyniad. J. R. Jones yn traddodi – a wir, roedd N.W. wedi ennill o'r diwedd!

'Cefais fy nhywys i babell y BBC, ar ôl cael fy longyfarch gan fy hyfforddwr, Glyn Owen. Rhaid cyfadde, roedd ennill i mi yn brofiad arbennig. A hynny yn fy milltir sgwâr fy hun.'

A dyna ddiwedd ar y cystadlu i Neli Williams; 'wel, roeddwn i'n hanner cant!' Ond wedi hynny cafodd y wefr a'r pleser o weld tair y bu hi'n dethol darnau ar eu cyfer, a'u hyfforddi, yn ennill Gwobr Goffa Llwyd o'r Bryn sef Sian Mair [1979 Caernarfon a'r Cylch], Bethan Gwilym, ei merch, [1986 Abergwaun a'r Fro] a Rhian Parry [1991 Bro Delyn].

Maes y Plwm

Er chwilio'n daer liw dydd, er cribo'r cwm
   Rhwng Prion a Phont Ystrad, yn fy myw
Ni fedrwn dy leoli, – ai gwir yw
   Mai 'llithro i'r llaid' a wnaeth dy sgerbwd llwm?
Euthum drachefn â'r fro yn cysgu'n drwm
   Ac yn y gwyll daeth gwefr 'Navarre' i'm clyw –
'Cyfamod hedd, cyfamod cadarn Duw'
   A gwyddwn fod fy nhraed ar Faes-y-Plwm.
Clywaist am 'lond y gwagle' cyn i ddyn
   Fentro i'r gofod erch i borthi ei nwyd,
Ond nid oedd modd i ti amgyffred maint
   'Anfeidrol Fod a'i hanfod ynddo'i Hun'.
   Er bod dy enw ar faen yn Nyffryn Clwyd
Dy gofeb fyw sydd ar wefusau'r saint.

D. S. Jones, Llanfarian
Cyfansoddiadau a Beirniadaethau 1973

1976 Aberteifi a'r cylch

SARAH TUDOR JONES

'Fy nghof cyntaf o adrodd oedd ar stepan drws fy nghartref, Ty'n Llan, ffermdy ger Llangefni, gyda Mam yn fy hyfforddi a Dad yn cogio bod yn feirniad.'

Mae Sarah Tudor Owen [Jones gynt] bellach yn byw ym Mhenrhosgarnedd, Bangor, ac yn un arall o gyn-ddisgyblion y Parchedig Dewi Jones a'i wraig Myra. Ar y pryd roedd Dewi Jones yn weinidog ar gapel Smyrna, Llangefni. Anti Myra ac Yncl Dewi oeddynt i Sarah. Bu Gareth Mitford [Williams] yn ei hyfforddi hefyd 'yn ei ffordd unigryw ei hun'. Cafodd ei thywys tros Gymru yn dilyn steddfodau bach a mawr.

Mae hi'n teimlo bod ei magwraeth eisteddfodol wedi dylanwadu ar ei gyrfaoedd, o fyd teledu i'r Gwasanaeth Iechyd. Fe roddodd ennill Gwobr Llwyd o'r Bryn yr hyder iddi i allu trosglwyddo'r hyn a ddysgodd i'r genhedlaeth nesaf gan gadw'r traddodiad yn fyw yn ei bro.

'Gelwid Eisteddfod Genedlaethol Aberteifi yn 'Steddfod y Llwch' oherwydd cyflwr y maes ar yr haf poethaf ers blynyddoedd. Penderfynais fynd am Wobr Llwyd o'r Bryn am yr eildro, wedi i mi ddod yn ail i Neli Williams yng Nghricieth.

'Wrth gwrs, roedd yn rhaid gwisgo glas – fy lliw lwcus wrth gystadlu. Euthum yn y bore i wynebu llu o adroddwyr mewn rhagbrawf hir a chynhyrfus mewn ysgol ynghanol y dref. Adroddais y soned benodedig sef 'Cymru' (Gwenallt) a wedyn fy hunan-ddewisiad allan o'r Mabinogi, Branwen ferch Llyr. Cefais lwyfan.

'Pnawn ddydd Gwener oedd hynny, a'r gystadleuaeth yn union cyn un o seremonïau'r steddfod. Felly, roedd y Pafiliwn dan ei sang. Mwynheais adrodd o flaen cynulleidfa fawr, gynnes a gwerthfawrogol. Pan gyhoeddodd J. R. Jones, Tal-y-bont, y feirniadaeth gwireddwyd breuddwyd fy mhlentyndod. Yr oeddwn wedi ennill.

'Alun Williams BBC oedd yn arwain y pnawn hwnnw a chyflwynodd y fedal yn urddasol am fy ngwddf gan sibrwd yn fy nghlust 'Ga' i gusan?' – ac fe wnes! Roedd y gynulleidfa wrth eu bodd a minna' hefyd.

'Teimlais fy mod wedi ennill y Grand National gyda'r holl sylw a'r gydnabyddiaeth a gefais. Bu'r llythyra' a chardia' llongyfarch yn tyrru i'm cartref am wythnosau wedi'r fuddugoliaeth. Cefais hefyd wahoddiadau i gyngherddau lu a'm cyflwyno fel 'enillydd y Ruban Glas'!

'Oedd, roedd glas yn lliw lwcus iawn i mi y flwyddyn honno, llwch neu beidio.'

Cymru

Paham y rhoddaist inni'r tristwch hwn,
A'r boen fel pwysau plwm ar gnawd a gwaed?
Dy iaith ar ein hysgwyddau megis pwn,
A'th draddodiadau'n hual am ein traed?
Mae'r cancr yn crino dy holl liw a'th lun,
A'th enaid yn gornwydydd ac yn grach,
Nid wyt ond hunllef yn dy wlad dy hun,
A'th einioes yn y tir ond breuddwyd gwrach.
Er hyn, ni allwn d'adael yn y baw
Yn sbort a chrechwen i'r genhedlaeth hon,
Dy ryddid gynt sydd gleddyf yn ein llaw,
A'th urddas sydd yn astalch ar ein bron,
A chydiwn yn ein gwayw a gyrru'r meirch
Rhag cywilyddio'r tadau yn eu heirch.

Gwenallt

1977 Wrecsam a'r cylch

YVONNE DAVIES

Ganed Yvonne [Francis erbyn hyn] ar 13 Mai 1947 ym mharlwr ffermdy Blaen-Cowin, Bryn Iwan, ger Cynwyl Elfed, Sir Gaerfyrddin. Yn naw a hanner oed symudodd, gyda'i rhieni, i fyw yn nhref Caerfyrddin. Mae'n dal i fyw yn yr un stryd o hyd.

'Troai fy mywyd cynnar o gwmpas y cartref a'r capel, yr ysgol a'r eisteddfod. Roedd cymdeithas glòs cefn-gwlad yn cofleidio'r cyfan. Roeddwn bron yn bump oed pan es i'r ysgol. Ysgol fach Penrhiwlas, ger Talog, oedd honno sydd heddiw'n Ysgol Hafodwenog. 'Nid oes ysgol na choleg hafal i gartref da' ys dywedodd D. J. Williams. Wedi symud i'r dre', es i uned Gymraeg ysgol gynradd Pentre-poeth,

Caerfyrddin, sef Ysgol y Dderwen erbyn heddi. Yna ymlaen i Ysgol Ramadeg y Merched yn y dre ac oddi yno i goleg Aberystwyth. Ar ôl graddio yn y Gymraeg a dilyn cwrs ymarfer dysgu, dyma ddechrau ar fy ngyrfa fel athrawes.

'Bûm am ddwy flynedd hapus iawn yn Ysgol y Preseli cyn dychwelyd i ddysgu yn fy hen ysgol yng Nghaerfyrddin. Pan sefydlwyd Ysgol Bro Myrddin yn 1978 cefais fy mhenodi'n Bennaeth yr Adran Gymraeg. Dyna lle bûm nes i mi ymddeol – yn gynnar! – yn 1999. Gwaith anodd yw dysgu, ond pleserus hefyd. Gwnes gymaint o ffrindiau ymhlith y plant yn ogystal â'r athrawon.'

O feddwl eto am ei phrofiadau eisteddfodol yr oedd Yvonne yn un o'r plant hynny fyddai'n gwneud tipyn o bopeth – canu, canu'r piano ac adrodd. Yr olaf oedd ei ffefryn.

'Yn Festri Bryn Iwan y dechreuodd y cyfan yn y Cwrdd Cystadleuol. Dyma fentro ymhellach wedyn, a minnau bron yn saith oed, trwy fynd i eisteddfod fawr Trelech. Roeddwn i'n canu 'O deued pob Cristion' (meddyliwch!) ac yn adrodd 'Y Casglwr Bach'. A wir i chi, fe enilles fy nghwpan cyntaf am adrodd yno.

'Roedd y beirniad yn arwr i mi. Wigfab oedd ei enw barddonol, sef D. J. Harries, Cynwyl Elfed, tad Benny a Lena (Prichard Jones). Rwy'n cofio mynd i ddangos y cwpan i'r cymdogion i gyd!

'Mynd 'o steddfod i steddfod' wedyn nes fy mod yn dair ar ddeg oed. Aem yn rheolaidd bob wythnos, weithiau i ddwy eisteddfod yr un diwrnod – Crymych a Boncath bob Llungwyn – ac ar ddydd Llun y Pasg roedd tair, Aberporth, Drefach Felindre a Phencader.

'Rhaid oedd dysgu gwahanol ddarnau yn aml. Bryd hynny, argreffid yr adroddiadau ar raglen yr eisteddfod. Mam oedd yn fy nysgu, gyda llaw. Bu cyfnod o fwlch yn fy ngyrfa eisteddfodol nes i mi ailgydio ynddi gyda blas pan oeddwn i'n ddwy ar hugain oed.'

Am yr wyth mlynedd nesaf cafodd Yvonne brofiadau eisteddfodol diddorol gan wneud ffrindiau ym mhob rhan o Gymru. Rhai o'i hoff adroddiadau oedd cerdd Gwyn Thomas 'Pasg' a 'Darluniau ar Gynfas' (Bryan Martin Davies). Hoffai gyflwyno darnau o ryddiaith hefyd fel y detholiad o'r ysgrif 'Cyn Mynd' (Islwyn Ffowc Elis).

'Yn ystod y cyfnod hwn, ac am flynyddoedd wedyn, bûm yn hyfforddi unigolion a phartïon yn bennaf, yn blant ac oedolion, i gystadlu yn Eisteddfod yr Urdd a'r Genedlaethol. Cawsom hwyl aruthrol, ac ennill ambell wobr yn y fargen.

'Braint oedd ennill Gwobr Goffa Llwyd o'r Bryn yn Wrecsam yn 1977. Roedd hi'n gystadleuaeth i enillwyr y deng mlynedd blaenorol. Sioc oedd cyrraedd y llwyfan. Daeth tair ohonom i'r llwyfan. Y ddwy arall oedd Sara Tudor [enillydd y wobr yn 1976] a Linda'r Hafod. Y ddau feirniad oedd John Gwilym Jones a Jennie Eirian Davies.

'Ar y bore Sadwrn y cynhaliwyd y gystadleuaeth. Roedd yr hen bafiliwn yn llawn, a minnau'n crynu. Adrodd detholiad o awdl lifeiriol Gerallt Lloyd Owen 'Afon' wnes i yn ogystal â dwy soned R. Williams Parry 'Gadael Tir'. John Gwilym Jones oedd yn traddodi. 'Diwrnod Yvonne yw hi heddi' medde fe. Finnau yn fy seithfed ne' a'r dagrau'n llifo wrth i'r Arweinydd Llwyfan, R. Alun Evans, roi'r fedal am fy ngwddf. Anghofia i byth mo'i eiriau: 'Mae'n rhyfedd y fath effaith mae'r gwobrau 'ma'n ei gael ar gystadleuwyr!' Llefen y glaw, a finne wedi ennill. Diwrnod a phrofiad bythgofiadwy.'

Gadael Tir II

Pan ddelo'r dydd im roddi cyfrif fry
  O'm goruchwyliaeth ar y ddaear lawr,
A dyfod hyd y fan lle clywir rhu
  Y môr ar benrhyn tragwyddoldeb mawr;
A llwyr gyffesu llawer llwybr cam
  Mewn mynych grwydro ffôl a wybu'm traed,
A phledio'r dydd y'm gwnaed o lwch a fflam,
  O gnawd a natur, ac o gig a gwaed;
Odid na ddyry'r Gŵr a garai'r ffridd
  Ac erwau'r unigeddau wedi nos,
I un na wybu gariad ond at bridd,
  Ryw uffern lonydd, leddf, ar ryw bell ros,
Lle chwyth atgofus dangnefeddus wynt
Hen gerddi gwesty'r ddaear garodd gynt.

R. Williams Parry

1978 Caerdydd a 1982 Abertawe a'r cylch

SIÂN TEIFI

'Dwi'n meddwl mai tua dwy flwydd oed oeddwn i pan ddechreues i fwynhau dringo i ben ford y gegin ac adrodd i westeion fy rhieni – p'un ai eu bod nhw eisie hynny ai peidio! Roedd y ddefod fach o dynnu'r sgidie a llusgo'r gader draw er mwyn cyrraedd y ford yn saff o dawelu'r 'gynulleidfa', ac yna'r sefyll dramatig, tynnu anadl fowr, fowr, fowr – a pherfformio. Melys oedd yr ymateb, a'r awch am ddogn ychwanegol o 'gyffur y ganmoliaeth' yn golygu y byddwn i'n dringo i ben ford y gegin am amser go lew cyn i'm rhieni benderfynu ei bod hi'n bryd i'r groten fach ddachre mynd i steddfode go-iawn.

'A fel'na buodd hi am flynydde maith, gyda Mam a Nhad yn cefnogi fy mrawd (a oedd yn ganwr) a finne i'r carn – yn ein gyrru ni yn y fan fach A35 lwyd i steddfode bach a mawr, yn gofalu ein bod ni'n cael gwersi canu, piano ac adrodd, ac yn prynu dwsin o ffowls er mwyn inni gael wy ffres bob dydd i'n cadw ni'n gryf. Diolch o galon i'r ddau ohonyn nhw am eu ffydd ynon ni ar hyd y daith.

'Y gweinidog oedd y cynta i geisio cael trefn arna i ar gyfer

Eisteddfod y Tri Chapel, ond gyda steddfode mwy fel Gŵyl Fawr Aberteifi'n galw, dyma benderfynu bod angen i'r *National Winner* lleol roi twtsh o bolish ar y llefaru. Anne Winston gafodd yr anrhydedd hwnnw, ond ychydig amser barodd y berthynas gan fod Anne wedi penderfynu symud i fyw dramor. A dyna pryd y daeth 'crwt Parc Nest' i'r fei, a'r Prifardd Aled Gwyn fu fy hyfforddwr a'm mentor i am y deng mlynedd nesaf. Dyma i chi gartre croesawus, gyda Aled a Menna bob amser yn rhoi'n hael o'u hamser ar yr aelwyd yn Henllan Amgoed ac yna yng Nghastell-nedd.

'Mi ddechreues i gystadlu yn yr Eisteddfod Genedlaethol pan ymwelodd y Brifwyl â Hwlffordd yn 1972, a chystadlu'n ddi-dor wedyn mewn steddfode bach a mawr hyd nes i Aled awgrymu falle y bydde hi'n werth bwrw iddi gyda'r Llwyd o'r Bryn yn Eisteddfod Genedlaethol Caerdydd yn 1978. Wel, dyna beth oedd sioc! I mi, gwobr oedd yn uchafbwynt oes o gystadlu oedd hon, a hwyrach 'mod i'n meddwl hefyd mai ond pobol hŷn oedd yn cystadlu amdani – ond wedyn, pan y'ch chi ond newydd gael eich pedair ar bymtheg, mae unrhyw un dros ddeg ar hugain yn hen beth bynnag.

'Ond dyma fynd amdani, a chystadlu mewn sawl cystadleuaeth arall hefyd, gan dreulio wythnos yn y Brifwyl, ac aros yn un o neuaddau preswyl Coleg Cyncoed. Dwi'n cofio bod yn nerfus iawn yn y rhagbrawf gan mai fi oedd y person ieuengaf yn y lle, a chael sioc enbyd pan gyhoeddwyd 'mod i ar y llwyfan. Y job nesa oedd ceisio ffonio adre i roi gwbod i weddill y teulu am y datblygiad, ac yn bwysicach fyth, dod o hyd i Aled er mwyn trefnu mymryn o bolish ychwanegol a *pep-talk* bach er mwyn rhoi hwb i'r hyder.

'Yr adeg hwnnw, cynhelid y prawf terfynol ar y prynhawn Sadwrn olaf am oddeutu tri o'r gloch, felly dyma fynd amdani gyda soned o waith Iorwerth Peate a detholiad o *Pigau'r Sêr* (J. G. Williams) – hanes diwrnod ola'r tymor mewn ysgol fach ym mhen draw Llŷn. Dwi'n meddwl 'mod i'n ysgwyd gyda nerfe i ddechre, ond yna wrth i'r gwaith fynd rhagddo, dyma ymlacio, a dechre mwynhau fy 'awr' ar y llwyfan, gyda'r pafiliwn dan ei sang. Wna i fyth anghofio'r eiliad pan gyhoeddwyd enw'r buddugol, ac yna cael yr Arweinydd ar y pryd – R. Alun Evans – yn gosod y fedal yn ddestlus am fy ngwddf o flaen pawb.

'Wrth gwrs, dyma'r gwahoddiade i feirniadu steddfode bach yn dechre'n syth wedyn, a phrofiad arswydus a gwahanol iawn i fi oedd eistedd y tu ôl i ford y beirniaid yn hytrach na sefyll y tu blaen iddi. Ond dwi'n gredwr cryf mewn rhoi cyfle i bobol ifainc ymgymryd â'r dasg o feirniadu er mwyn i'r grefft gael ei dysgu'n gynnar ac wrth draed pobol mwy profiadol. Hir y parhaed.

'Pan gyrhaeddodd yr adeg i gofrestru ar gyfer cystadlu yn Eisteddfod Genedlaethol Abertawe 1982, dyma feddwl mynd amdani unwaith eto, a chael ymateb cymysg iawn – rhai'n dymuno pob lwc, a rhai'n gofyn o ddifri pam nad oedd ei hennill hi un waith yn ddigon i mi? Mae'r ateb yn syml – mae hawl gan unrhyw un ennill prif wobrau'r Eisteddfod Genedlaethol DDWY waith, a beth bynnag, meddyliwch faint tlotach fydden ni fel cenedl pe bai Prifeirdd amryddawn fel Gerallt Lloyd Owen, Myrddin ap Dafydd a Tudur Dylan wedi rhoi'r ffidil yn y to ar ôl ennill y tro cynta? Na, bant â'r cart oedd hi am Abertawe, a finne erbyn hynny wedi graddio o'r Brifysgol yn Aberystwyth ac yn dilyn cwrs MA yn y Gymraeg.

'Y tro hwn eto, roeddwn i'n aros ar gampws coleg, a'r seiniau o'r pafiliwn i'w clywed drwy'r lle gan fod pob dim yn agos iawn at ei gilydd. Cystadlu mewn sawl cystadleueth, ennill ar yr Adrodd i Gyfeiliant, a chael llwyfan ar y Llwyd o'r Bryn, a oedd erbyn hyn yn agor noson o gystadlu ar y nos Sadwrn olaf. Dwi'n cofio'n iawn mynd i f'ystafell i ymlacio am ychydig cyn y gystadleueth – a'r peth nesa dwi'n 'i gofio yw clywed enwau cystadleuwyr Llwyd o'r Bryn yn cael eu galw dros yr uchelseinyddion, gan fod y gystadleueth ar fin dechre. Dyna ras wedyn! Cyrraedd cefn y llwyfan a 'ngwynt yn 'y nwrn, gan ddiolch mai fi oedd yr olaf i ymddangos ar y llwyfan.

'Detholiad penodol o *Dan y Wenallt* (T. James Jones) oedd fy newis i y tro hwn, ac fe gafodd Aled a finne filoedd o hwyl wrth bolisho'r cyflwyniad. Yn aml iawn, mi fydden ni'n chwerthin lond ein bolie, a dwi'n siwr fod y mwynhad yma wedi cyfrannu'n fawr at y perfformiad terfynol, gyda'r gynulleidfa yn eu tro hefyd yn chwerthin. Roedd hi'n hyfryd ennill eto, yn enwedig ar batsh Dylan Thomas ei hun, ac am y tro cynta cael gweld y perfformiad ar y teledu y diwrnod wedyn fel rhan o raglen am fuddugwyr yr wythnos.

'Dwi'n ei chyfri hi'n fraint wirioneddol ennill Gwobr Goffa Llwyd o'r Bryn ddwy waith, ac yn fraint ychwanegol fy mod i wedi gallu hyfforddi Carwyn John, a'i henillodd hi yn 2004. Mae'n hynod bwysig fod pob un ohonon ni'n sicrhau parhad ein crefft, fel bod dawn y cyfarwydd yn dal i ryfeddu'r cenedlaethe a ddaw.'

Awyrblandy Sain Tathan

Duw yn ei ryfedd ras a luniodd ardd
rhwng môr a mynydd lle mae'r llwybrau'n tywys
y werin flin i'r dolydd îr lle tardd
dyfroedd Bethesda a heddwch Eglwys Brywys.
Ynddi fe ddodes amal bentref llawen
yn em ddisgleirwyn yn y glesni mwyn –
Llan-faes, Y Fflemin Melyn, Aberddawen –
a chêl oludoedd gweirglodd, lôn a thwyn.
Bellach fe'i chwalwyd oll: a nwyd dychwelyd
anhapus ddyn a gais yr hyn na allo
yn troi'r hamddenol ffyrdd yn sarnau celyd
na chyrchant hedd Llan-dwf na hud Llangrallo.
  A'r syber fro o'r Barri i Borth-y-cawl
  Yn gignoeth dan beiriannau rhwth y diawl.

Iorwerth C. Peate

1979 Caernarfon a'r Cylch

SIÂN MAIR

'Un ar hugain oeddwn i. Newydd orffen cwrs ymarfer dysgu yn y Brifysgol yn Aberystwyth, wedi cael fy swydd ddysgu gyntaf, wedi dyweddïo, ac yna ym mis Awst, ennill Gwobr Goffa Llwyd o'r Bryn. Anodd credu fod bron i ddeng mlynedd ar hugain wedi mynd heibio ers y flwyddyn gyffrous honno yn fy mywyd. Rwy'n dal i ddysgu, yn briod â'm dyweddi ac yn dal i ymddiddori ym myd adrodd.

'Roedd ennill Gwobr Goffa Llwyd o'r Bryn yn anrhydedd fawr ac yn rhywbeth y byddaf yn ei drysori am byth. Ond beth yw fy atgofion o'r achlysur? Wel, cofiaf i'm hyfforddwraig, yr annwyl Neli'r Hendre – ei hun wrth gwrs yn enillydd Llwyd o'r Bryn [1975] –

ddweud wedi i mi ennill ar yr adrodd dan bump ar hugain yng Nghaerdydd y flwyddyn flaenorol: 'Amdani rŵan Siân'! Ie, yn y cyfnod hwnnw rhaid oedd ennill un o'r prif gystadlaethau adrodd cyn ymgeisio am y Rhuban Glas, yn union fel y cantorion.

'Mynd amdani felly. Mam yn ôl ei harfer brwdfrydig, tawel yn sicrhau fod fy enw'n cael ei anfon mewn da bryd, yn cael gafael ar y darnau a'm hannog i'w dysgu. Minnau'n addo mynd ati ond yn gwneud fawr ddim tan rhyw dair wythnos cyn yr Eisteddfod. Teithio wedyn o'm cartref ym Mhenrhyndeudraeth unwaith, falle ddwywaith, yr wythnos i'r Hendre at Neli a chael ganddi fel bob amser, y gallu i ymdeimlo â sŵn geiriau ac ymdreiddio i ystyr ddyfnaf y darnau nes eu bod yn dod yn rhan ohonof.

'Roedd dau ddarn prawf: 'Cerdd i Hil Wen', caniad olaf awdl fuddugol Alan Llwyd yn Eisteddfod Rhuthun 1973 a detholiad o 'Gweledigaeth Uffern', *Gweledigaethau y Bardd Cwsg*. Deil yr awdl ar fy nghof. Nid rhyfedd hynny – mae tlysni'r farddoniaeth a seiniau'r gynghanedd yn mynnu aros, a phroffwydoliaeth y bardd am Ben Llŷn – am Gymru – yn dal i'm hysgwyd a'm cyffwrdd. Gofynnwch i mi adrodd darn o weledigaeth y Bardd Cwsg ac ni chofiaf ddim! Doedd uffern Ellis Wynne ddim mor gyfarwydd i mi â Phen Llŷn. Wedi'r cwbl, roeddwn wedi treulio blynyddoedd maboed yno!

'Does gennyf fawr o gof o'r rhagbrawf ond mae'n rhaid i bethau fynd yn iawn gan i mi gael llwyfan! Os cofiaf yn iawn, Gwobr Goffa Llwyd o'r Bryn oedd un o gystadlaethau cynta'r dydd ar fore Sadwrn ola'r ŵyl. Teimlwn fel pe bawn yn adrodd i wagle yn yr hen bafiliwn mawr hwnnw ond mae'n rhaid fod tyrfa go dda yno gan im gael fy llongyfarch yn frwd gan amryw oedd wedi gweld y perfformiad. Rhaid i'r beirniaid, Aled Gwyn ac Elwyn Evans, gael eu plesio hefyd oherwydd fe enillais!

'Faswn i ddim ar y llwyfan hwnnw oni bai am anogaeth fy rhieni gydol y blynyddoedd; y cychwyn penigamp a gefais gan Rita ac Alma Dauncey yn Nolwyddelan fy mhlentyndod; prentisiaeth yr eiseddfodau bach ac ysbrydoliaeth Neli. Diolch iddynt.'

1980 Dyffryn Lliw

OWAIN PARRY

Ym Mai 1929 y ganed Owain Parry a threuliodd y deufis cyntaf o'i oes ar lethrau Mynydd Bodafon cyn symud i'r Tŷ Gwyn, Llangwyllog. Pan oedd Owain yn bymtheg oed fe symudodd y teulu i Ynys y Llyn, ym Mryntwrog. Ef oedd yr hynaf o bedwar o blant. 'Nhad yn dyddynwr yn cadw buwch, dau lo a mochyn rhent a chario dŵr i'r anifeiliaid o Ffynnon Tyddyn Siencyn. Dyna oedd un o 'mhrif gyfrifoldebau fel dyn ifanc.'

Ei fam a sicrhaodd bod Owain yn dysgu adnod a phennill ar gyfer cyfarfodydd y capel. Yng Nghymdeithas capel Gosen, Llangwyllog ac yn Eisteddfodau Blodau'r Oes, sef eisteddfod flynyddol y Bedyddwyr yn Llynfaes, y cafodd y cyfle cyntaf i gymryd rhan yn gyhoeddus.

'Yn Ysgol Bodffordd fe ddes i o dan ddylanwad Wilias y Sgŵl. Fo ddaru fy hyffroddi i ar gyfer cyfarfod cystadleuol. Siom iddo fo, ond nid i mi, oedd mai yr ail wobr enillais i. Roedd Wilias yn sicr mai ar y beirniad oedd y bai!'

Ymddangosodd wedyn yn amrywiol eisteddfodau'r cyfnod ym Môn ac Arfon. Yn Eisteddfod Môn 1947 daeth yn drydydd; yn ail yn Llangefni yn 1948 a dod i'r brig yn Llannerch-y-medd yn 1949 gyda 'Baled Thomas Bartley', darn pymtheg pennill o wyth llinell yr un. W. H. Roberts, Niwbwrch oedd y beirniad y flwyddyn honno. 'Yn yr un eisteddfod deuthum i sylw John Stamp. A dyna ddechrau fy ymwneud â'r ddrama, fel aelod o Gwmni Drama Llannerch-y-medd am y pum mlynedd cyntaf ac yna, hyd heddiw, gyda Chwmni Theatr Fach Llangefni.'

Dan hyfforddiant Edward Williams mentrodd Owain Parry gystadlu yn yr Eisteddfod Genedlaethol gan ennill dan 25 oed yn Llanrwst 1951. 'Dod yn ail – bai y beirniad, ys dwedai Wiliams y Sgŵl – yn 1953, 1954 a 1971. Ennill y wobr gyntaf am Adrodd dros 25ain yng Nghaernarfon 1979 ac eto yn Ninbych 2001.

'Ond penllanw'r cystadlu fu'r fuddugoliaeth yn Nyffryn Lliw yn 1980. Wedi ymddangos yn rhagbrawf cystadleuaeth Gwobr Goffa Llwyd o'r Bryn, gyda dros ddeg ar hugain eraill, yr oeddwn braidd yn ddi-hyder ac yn amheus a ddeuai llwyddiant i'm rhan y diwrnod hwnnw.'

Newidiodd i'w hen ddillad, ac roedd o ar gychwyn am adre pan ddaeth un o'i gefnogwyr, 'un o bobol y Pethe ar ruthr at Glenys, y wraig, i'm llongyfarch ar y gamp o gyrraedd y llwyfan. Tyfodd yr hyder yn syth, a phrofais lwyddiant y noson honno yn adrodd darn allan o *O Law i Law* (T. Rowland Hughes) a'r soned 'Sir Gaerfyrddin'(Gwenallt).'

O fudd mawr iddo wrth baratoi at y llwyfan oedd cymorth ei hyfforddwr, Ellis Wyn Roberts, Bodffordd. Wedi'r fuddugoliaeth, derbyniodd wahoddiadau lu i arwain cyngherddau, eisteddfodau a nosweithiau llawen. A bu cefnogaeth Glenys a'r teulu dros y blynyddoedd yn werthfawr yn ei olwg. 'Bellach, mae'r elfen gystadleuol wedi tawelu ond rwy'n barod, bob amser, i roi gair o gyngor i'r rhai sydd am brofi yr un pleser ag a gefais i yn cystadlu hyd a lled y wlad.'

Sir Gaerfyrddin

Ni wyddom beth yw'r ias a gerdd drwy'n cnawd
Wrth groesi'r ffin mewn cerbyd neu mewn trên:
Bydd gweld dy bridd fel gweled wyneb brawd,
A'th wair a'th wenith fel perthnasau hen;
Ond gwyddom, er y dygnu byw'n y De
Gerbron tomennydd y pentrefi glo,
It roi in sugn a maeth a golau'r ne
A'r gwreiddiau haearn ym meddrodau'r fro.
Mewn pwll a gwaith clustfeiniwn am y dydd
Y cawn fynd atat, a gorffwyso'n llwyr,
Gan godi adain a chael mynd yn rhydd
Fel colomennod alltud yn yr hwyr;
Cael nodi bedd rhwng plant yr og a'r swch
A gosod ynot ein terfynol lwch.

Gwenallt

1981 Madwyn a'i Chyffiniau

LESLIE WILLIAMS

Am yr ail flwyddyn yn olynol, gŵr o Fôn enillodd Wobr Goffa Llwyd o'r Bryn. Yn un o bump o blant, maged Leslie Williams ym mhentref Dwyran, yng nghornel isaf de-ddwyrain yr ynys, rhwng Brynsiencyn a Niwbwrch. Y drefn oedd mynd i'r capel bob Sul ac i'r Band of Hope.

'Mwynhawn fynd i'r Band of Hope. Dyma lle dechreuais i gymryd diddordeb mewn cystadlu. Roeddwn i tua wyth oed pan ddechreuais adrodd a chystadlu yn y Gylchwyl ac yn Eisteddfod Calan y capel. O gael blas arni, mentrais wedyn i Eisteddfod Môn, sy'n parhau yn ei bri.'

Wedi dechrau yn Ysgol Gyfun Llangefni, pallodd y diddordeb mewn cystadlu bron yn gyfangwbl. 'Pan oeddwn i'n ddeunaw oed dwi'n cofio ennill fy nghwpan cyntaf yn Eisteddfod Llangwm ond dyma'r adeg hefyd yr oeddwn i'n dechrau gweithio a phellhaodd y cyfle i gystadlu unwaith eto. Roeddwn i'n bump ar hugain pan wnes i ailafael. Rhyfedd oedd ail-ddechrau ar ôl absenoldeb hir o'r llwyfan. Rhaid oedd dysgu darnau addas i Brif Adroddiad. Ar y pryd hwnnw yr oedd darnau dwys yn apelio mwy ataf na rhai doniol. Yn fuan, yr oeddwn yn cael blas o ddifri ar gystadlu. Hoffwn actio hefyd. Ymunais â'r cwmni drama lleol dan hyfforddiant y diweddar Leslie Hodgkins, gŵr tawel a chymwynasgar. Wedyn ymaelodais â Theatr Fach Llangefni lle cefais y fraint o rannu llwyfan efo'r diweddar Charles Williams, Elen Roger Jones a chyda J. O. Roberts. Cyn hir, yr oeddwn yn cystadlu o ddifri a'r eisteddfodau'n dod yn fwy niferus. Teimlwn fod angen hyfforddiant arnaf a braint oedd cael yr hyfforddiant hwnnw gan y wraig amryddawn a hoffus Mrs Myra Jones. Trist oedd ei cholli hi yn llawer rhy fuan. Cefais dair blynedd o'i chwmni, ac yn ystod yr amser hwnnw cefais ail wobr ar y Prif Adroddiad yn Eisteddfod Genedlaethol y Fflint [1969] a'r wobr gyntaf ar Adrodd i Gyfeiliant y flwyddyn ganlynol yn Rhydaman. Bu'r amser yng nghwmni Myra Jones yn addysgiadol iawn a difyr.

'Ar ôl ei cholli fel hyfforddwraig, daeth awydd i adrodd darnau ysgafnach. Cefais fwynhad mawr yn dysgu darnau o waith y Parchedig Harri Parri a'r diweddar Ifan Gruffydd, awdur *Y Gŵr o Baradwys* a *Tân yn y Siambar*. Rhaid dweud bod adroddiadau digri yn anadliad o awyr iach i gynulleidfa a chefais innau sawl blwyddyn hapus yn eu hadrodd. Erbyn hyn, roeddwn yn cael gwahoddiad i lawer o gyngherddau ymhell ac agos. Roedd yna dynfa i eisteddfodau a chyngherddau Sir Aberteifi; fy hoff eisteddfodau oedd Llanilar, Tregaron, Ponterwyd ac, wrth gwrs, eisteddfodau Syr David James.

'Bellach yr oeddwn wedi ennill dros gant a hanner o gwpanau ac wedi ffeindio rhywun arall i'm hyfforddi. Bûm ym ffodus i gyfarfod â Mr Edward Williams, Llangefni. Dyma hyfforddwr profiadol ym myd y ddrama ac adrodd. Gydag ef y cefais y llwyddiant mwyaf. Deuthum yn ail yn Eisteddfod Genedlaethol Caernarfon a'r Cylch [1979] gan ennill y 'goron driphlyg' ym Maldwyn [1981] sef yr Adrodd Digri ar y dydd Mawrth, y Prif Adroddiad ar y dydd Gwener a'r Rhuban Glas [Gwobr Goffa Llwyd o'r Bryn] ar y Sadwrn. Hon oedd coron y cyfan, a chlo bendigedig i flynyddoedd hapus o gystadlu.'

1983 Ynys Môn

CARYS ARMSTRONG

Mae Carys bellach yn byw ar y Costa Blanca mewn ardal o'r enw Campoamor, gwaith awr o deithio i'r de o Alicante, ac yn brysur yn dysgu Sbaeneg.

'Pe byddai rhywun, rywdro, yn gofyn i mi enwi'r uchafbwyntiau yn fy mywyd hyd yma, yna yn dynn wrth sodlau y diwrnod y ganwyd fy mab, Gethin, byddai'n rhaid i mi ateb mai'r noson yr enillais Wobr Goffa Llwyd o'r Bryn yw'r uchafbwynt arall. Yr oeddwn yn 29 oed pan ddigwyddodd hynny ac yn llawn brwdfrydedd am fod yr ŵyl ar stepan fy nrws a minnau eisioes wedi cael fy newis i gario'r Corn Hirlas yn seremonïau'r Orsedd. Cefais hefyd y fraint o gyflwyno'r Aberthged yn Eisteddfod Bangor a'r Cylch yn 1971.

'Nid ar chwarae bach y bu i mi ddod i'r brig. Gallwn ddweud fy mod wedi dechrau ymarfer pan oeddwn yn bedair oed mewn eisteddfodau lleol, ac wedi chwysu, tyngu a chwyno droeon dros y blynyddoedd, tra'n mireinio'r grefft o lefaru ym mhob cwr o Gymru.

'Fy mam a nhad a'm cychwynodd ar y daith, ac mae fy nyled iddynt hwy am eu hanogaeth yn amrhisiadwy – y nhw oedd tu cefn i mi bob amser. Y nhw a'm hanogodd i a'm dau frawd, Rolant a Rheinallt, i roi cerddi ac englynion rif y gwlith ar gof a chadw, a chofiaf ni'n sefyll yng nghornel y gegin droeon yn rhoi sglein ar y dweud cyn eisteddfod neu gyfarfodydd yn y capel.

'Yn ystod f'arddegau hwyr cefais y fraint o gael fy hyfforddi gan y diweddar W. H. Roberts, Niwbwrch, ac fe lwyddodd ef, gyda'i ddawn ddihafal, i'm hysgogi i weld, deall a gwerthfawrogi geiriau mewn ffordd wahanol. Byddem yn treulio oriau yn dehongli a thrafod cynnwys cerddi cyn mynd ati i'w llefaru, ac mae gennyf atgofion hapus iawn am y cyfnod hwnnw.

'Gyda'r Eisteddfod yn Llangefni, roedd fy hyfforddwr yn awyddus iawn i mi lefaru 'Mair Fadlen', gan Saunders Lewis. Ond pan fu farw W. H. yn ddisymwth ni fedrwn yn fy myw weld sut yr awn ati i ddysgu'r gerdd a'i chyflwyno heb ei arweiniad ef. Er hynny yr oeddwn yn awyddus iawn i gystadlu gan ei fod yn ffyddiog y gallwn wneud cyfiawnder â'r gerdd. Dyna pryd y daeth Mairlyn Lewis i'r adwy. Pan fyddwn yn cystadlu mewn eisteddfodau a hithau'n beirniadu byddai bob amser yn gefnogol a phan ofynnais iddi am ei chymorth fe gytunodd yn syth. Anghofia i byth hi'n gofyn i mi a oedd gen i gerdd arbennig mewn golwg gan ei bod hi'n meddwl y dylwn ystyried cyflwyno 'Mair Fadlen'. Fedrwn i ddim credu'r peth. A dyna fynd ati ar unwaith i ddysgu'r gerdd. Aml fu'r teithio rhwng Llanfairpwll ac Abergele yn yr wythnosau cyn yr Eisteddfod a Mairlyn yn mynnu'r gorau gennyf bob amser yn ei ffordd ddiymhongar ac addfwyn.

'Yn ystod prynhawn Sadwrn olaf yr Eisteddfod enillais y wobr gyntaf a Chwpan Coffa W. H. Roberts yng nghystadleuaeth adrodd agored i fab neu ferch. Rhoddodd hyn fwynhad mawr i mi a pheth hyder ar gyfer y gystadleuaeth bwysig oedd ar y gorwel. Pan gyhoeddwyd mai fi oedd enillydd Gwobr Goffa Llwyd o'r Bryn y noson honno fedrwn i ddim credu fy mod i wedi cyrraedd y brig. Cofiaf deimlo balchder o wybod y byddai Mam a Dad wedi dotio.

'Cofiaf deimlo gwerthfawrogiad o waith caled a dyfalbarhad W. H. a Mairlyn, ac yn ystod y dyddiau wedi'r Eisteddfod cofiaf y syndod a'r pleser o dderbyn pentwr o lythyrau a chardiau llongyfarch o bell ac agos. Wyddwn i ddim fod gen i gymaint o ffrindiau. Roedd ennill Gwobr Goffa Llwyd o'r Bryn yn brofiad bythgofiadwy ac yr wyf bob amser yn ymfalchïo fy mod i wedi derbyn y fath anrhydedd.'

Y Fedw Arian

Rhag gwŷr glan y môr a'r marian
A'u sgwrs am y pres a helian'
Caf dro hir gyda'm ffrindiau gwir
Ar dir y Fedw Arian.

Rhyw astalch i mi a tharian
Rhag Mamon a'i lu pan saethan'
Saethau gwenwynig hyd lannau'r môr
A fu dôr y Fedw Arian.

Bydd Anwen a Wil pan farian'
y ddôr rhag y nos tu allan
Yn mynd dros aur pob rhyw awen glaer
Yn daer yn y Fedw Arian.

Nid bostio pa faint a warian'
Ond sôn am yr aur anniflan:
Telyn ar y llawr hyd doriad gwawr
A'u dawr yn y Fedw Arian.

A phan ddelo'r dydd pan garian'
Fy arch hyd y gwely graean,
O! wynt rhwng y dail dyro f'awen i
A'i dyri'n y Fedw Arian.

Cynan

1984 Llanbedr Pont Steffan a'r Fro

HANNAH ROBERTS

Ganed Hannah yn Nhre-boeth – yn ei thafodiaith hi, Trebôth – pentre ryw ddwy filltir lan y cwm o dre ''Bertŵe', a phentre genedigol Gwyrosydd, awdur yr emyn 'Calon Lân'.

Dechreuodd ei gyrfa trwy fynd i ddysgu i'r Barri. Bu yno am dair blynedd ar ddeg. Ar hyd yr adeg, roedd hi'n aelod o Gwmni Drama Cymraeg Abertawe 'ac yn 1977 penderfynais newid gyrfa a mynd at y Thesbiaid'.

Dilynodd gwrs drama ôl-radd yng Ngholeg Cerdd a Drama Caerdydd ac yna ymuno â Chwmni Theatr Cymru. Wedi dwy flynedd, aeth i weithio ar ei liwt ei hunan am bum mlynedd fel cyflwynydd a darllenydd newyddion gyda Radio Cymru. Bu'n gyflwynydd gydag S4C yn ogystal 'cyn gatel i wneud mwy o waith fel actores'. Ymhlith ei rhannau diweddar mae chwarae mam Cai a Gwen, a mam-yng-nghyfraith Siôn, yn *Pobol y Cwm* a Lilian 'sy'n pipo trwy'r cyrtens' yn *Con Passionate*.

'Y cof cynta sy' 'da fi o berfformio o'dd yn saith mlwydd o'd, ac adroddes i holl enwe llyfre'r Hen Destament mewn Cwrdd undebol yn y dre. Dechreuws fy ngyrfa eisteddfodol yn hwyr mewn bywyd – yn yr wythdege pan o'n ni yn fy mhetwardege.'

Yn 1980 enillodd yr adroddiad dros 25 oed yn Eisteddfod Dyffryn Lliw gan gyflawni'r un gamp yn Eisteddfod Abertawe a'r Cylch 1982. Daeth yn ail ar gystadleuaeth Adrodd Unigol dros 25 oed ym Môn yn 1983 pan oedd y sawl ddaethai i'r brig yn ennill 'yn llwyr' Gwpan Coffa W. H. Roberts, rhoddedig gan ei feibion Owain a Bill Roberts. [Carys Armstrong, disgybl i W. H. enillodd y cwpan].

Ond, daeth awr fawr Hannah y flwyddyn ganlynol yn Llanbedr Pont Steffan. 'O'n i'n aros gyta'n ffrind a'i gŵr ym Mans Nebo. Cyn y rhagbrawf etho i lan i Gwm-ann. Sefais wrth gât ffarm ac atrodd i'r defaid. A'r cyrff gwlanog yn sefyll yn stond yn itrech arno i.'

Yn ôl wedyn i gapel Brondeifi i'r rhagbrawf. 'O'dd nifer o gystadleuwyr yn plethu tu fa's. 'Ddim ishe mynd miwn eto' medde nhw. 'Ddim ishe bod yn gynta'! Ond, ma' bywyd yn rhy fyr i sefyllian, meddylies. A miwn â fi.' Roedd y capel yn wag. Cyn hir, cyrhaeddodd y beirniad – John Gwilym Jones. 'A chyn iddo gael ei ana'l ato gofynnes 'Alla i weud e plis'? 'Gallwch' atepws e, 'cystal i ni ddechre.' Etho i lan i'r pulpud a chyflwyno soned T. H. Parry-Williams 'Cyngor' a detholiad ma's o *Dyddiau Dyn* Rhydwen Williams. Wedi cwpla, cerddes lawr y grisie i gymeradwyaeth brwd tician yr hen gloc ar y wal. A ches lwyfan.'

Ar y nos Sadwrn, Gwobr Goffa Llwyd o'r Bryn oedd cystadleuaeth gynta'r noson. 'Enillais y wobr a chael y wefr o deimlo'r fedal yn ca'l ei rhoi am 'y ngwddw.' Yn sgîl y fuddugoliaeth cafodd Hannah Roberts ei derbyn i'r Orsedd y flwyddyn ganlynol yn y Rhyl.

1985 Y Rhyl a'r Cyffiniau

ALMA ROBERTS

Bu farw'r Parchedig Alma Roberts yn 2004. Y Parchedig Wilbur Lloyd Roberts a ysgrifennodd y portread hwn o'i wraig.

Gyrfa ddigwyddlawn fu hi o'r cychwyn ym Mro Gŵyr hyd ei marw annhymig bedair blynedd yn ôl. Oherwydd gwaeledd maith a difrifol ei thad o amaethwr, a hithau'r ail o dri o blant, a'r unig ferch, bylchog iawn fu ei haddysg wedi iddi gyrraedd ei phenblwydd yn ddeuddeg oed. Fodd bynnag, yn y blynyddoedd coll ymlafniodd yn ddiarbed, mewn amser ac allan o amser, i astudio a chyfoethogi'i meddwl.

Yna, ar ôl dwy flynedd yng Ngholeg Harlech, ymlaen i raddio – er mai ail iaith oedd y Gymraeg iddi ar y pryd – yn y Gymraeg yng Ngholeg y Brifysgol, Bangor. Bu'n athrawes Gymraeg a Drama yn ysgolion cyfun tref Caerfyrddin ac yna, am ddeng mlynedd, yn Weinidog yr Efengyl ym mhentref Pen-y-groes, Sir Gaerfyrddin. Traethai ei neges yn glir a digymrodedd. Gallai fod yn bendant a diildio mewn dadl ac yr oedd ei argyhoeddiadau yn bethau dwys a chysegredig iddi.

Plentyn natur ydoedd: merch y maes a'r mynydd; merch y pridd a'r anifail a'r tymhorau. Yr oedd ganddi hobïau anfenywaidd diddorol, megis turnio coed ac adeiladu waliau cerrig.

Byr iawn fu ei thymor fel cystadleuydd eisteddfodol, ac ni chafodd awr o hyfforddiant yn y grefft o adrodd. Wedi'r llwyddiant yn Eisteddfod Genedlaethol y Rhyl a'r Cyffiniau rhoddodd y gorau, bron yn gyfangwbl, i adrodd a chanolbwyntio ar ei gwaith cyhoeddus ym myd crefydd a'r mudiad heddwch (bu'n Llywydd cenedlaethol Cymdeithas y Cymod ym mlynyddoedd clo yr hen ganrif). Ymddiddorodd yn frwd hefyd ym myd y ddrama, a bu'n cyd-actio llawer a chyd-gyflwyno rhaglenni nodwedd afrifed yn y cyfnod hwn gyda'r carismataidd a'r amryddawn Garadog Evans, Pontarddulais.

Y darn prawf homeraidd anodd i brif adroddwyr Prifwyl 1985 oedd 'Dogfen', sef cyfieithiad Vaughan Hughes o gerdd Raymond Garlick, 'Documentary', sy'n disgrifio'n fyw a dramatig brotest Cymdeithas yr Iaith Gymraeg y tu allan i Neuadd y Brangwyn, Abertawe, ar Sadwrn 8 Mai, 1971. Tywalltodd Alma ei henaid eirias i'r gerdd a llwyddo i ail-greu'r ofnau a'r dirdyniadau, yn ôl Aled Gwyn, a draddododd y feirniadaeth o'r llwyfan ar ran ei gydfeirniaid, a deimlodd ef ac eraill ohonom oedd yn bresennol yn y gwrthdystiad y pnawn trawmatig hwnnw yn Abertawe. Yn ei lythyr caredig ati, drannoeth ei buddugoliaeth, soniodd Raymond Garlick am y wefr arbennig a dderbyniodd o'i chyflwyniad cwbl ddiledryw o'i gerdd. 'It was,' meddai, 'a moving and humbling experience.'

Wedi'r dyfarniad, dychwelyd i Ddeganwy at ein ffrindiau mynwesol John a Beryl, Siân a Catrin Alwen gan godi'n blygeiniol fore trannoeth a chroesi Bwlch Gorddinan i'n cyhoeddiadau Sabothol. Fe gafodd aelodau Jeriwsalem, Blaenau Ffestiniog, fy mameglwys, y pleser annisgwyl o groesawu i'w plith y bore Sul araul hwnnw o Awst enillydd newydd sbon danlli grai Gwobr Goffa Llwyd o'r Bryn.

Diolch yn nwyster hiraeth dileihad a diymadael am ffiol cysur atgofion gwynfydedig.

1986 Abergwaun a'r Fro

BETHAN GWILYM

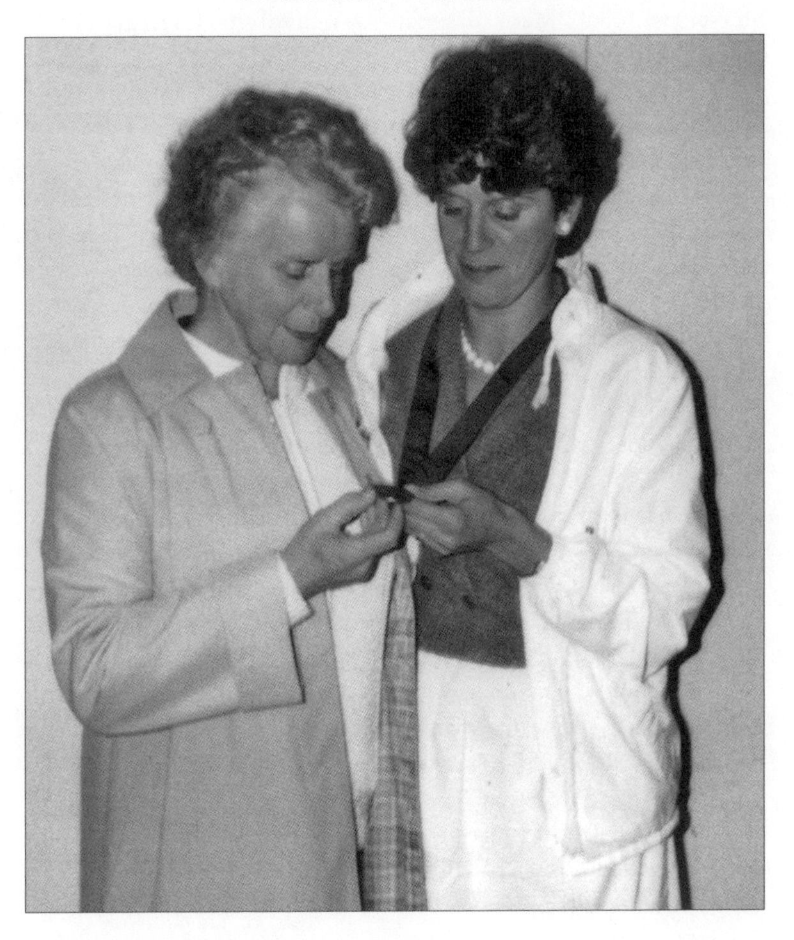

Ganed Bethan yn Ysbyty Dewi Sant, Bangor ar y cyntaf o Dachwedd 1951 yn ferch i Neli a Huw Williams, Bryn Tirion, Boduan. 'Pan oeddwn i tua dyflwydd oed fe symudon ni i fyw i Dy'n y Pant, eto ym Moduan, a dyna egluro pam mai fel Bethan Ty'n Pant y byddwn yn cael fy adnabod.

'Mae Mam yn adroddwraig [1975 Bro Dwyfor]. Dwi'n cofio fel y bydda hi'n adrodd dros y tŷ wrth ddysgu gwaith ar gyfer gwahanol eisteddfodau. Detholiad o 'Mab y Bwthyn' (Cynan) oedd un o'r ffefrynnau ganddi, ac mae'r detholiad yna ar fy nghof innau hyd heddiw. Peth naturiol ddigon oedd i mi ddilyn yr un llwybr. Alla i ddim canu, er i mi gael gwersi tonic sol-ffa gan Mr Owen Williams yn yr Ysgol Sul. Mae'r dystysgrif sy'n profi mod i'n gwybod y gwahaniaeth rhwng doh a gwsberan gen i o hyd!

'Fel llawer o bentrefi eraill o gwmpas Pen Llyn, mi fyddai yna eisteddfod flynyddol ym Moduan. Mae'n debyg mai ar lwyfan yr eisteddfod honno yr adroddais i'n gyhoeddus am y tro cyntaf.

'Ar ôl cyrraedd f'arddegau cynnar mi wnes i gefnu ar gystadlu – roeddwn i'n meddwl bod mynd i Bwllheli ar nos Sadwrn i chwilio am gariad yn llawer mwy diddorol na mynd i eisteddfodau. Wedi i mi ddod o hyd i'r cariad hwnnw, priodi a chael plant, yna fe ddaeth yr ysfa i berfformio yn ei hôl. Roedd hi'n anodd iawn ailddechrau ac ail-ganfod yr hyder i sefyll ar lwyfan, ond mi ddeliais ati.

'Yn Eisteddfod Llanbedr Pont Steffan 1984 y mentrais i'r Genedlaethol, a chystadlu ar yr adrodd digri. Detholiad o *Straeon Wil* (J. O. Williams) oedd fy newis i y tro hwnnw. Mair Penri o'r Parc, y Bala, oedd yn fuddugol, a chefais innau'r drydedd wobr. Cystadlu ar adrodd digri eto yn y Rhyl yn 1985 – detholiad o *Hufen a Moch Bach* (Harri Parri) oedd fy newis – ac ennill y wobr gyntaf.

'Doedd dim amdani wedyn ond mynd am Wobr Goffa Llwyd o'r Bryn yn Abergwaun 1986. Gan i Meg Ellis ennill y Fedal Ryddiaith yn y Rhyl gyda'i chyfrol *Cyn Daw'r Gaeaf*, penderfynais gyflwyno detholiad o'r gyfrol gyfoes honno. Roedd Mam yn hyfforddwraig benigamp, a diolch iddi hi mi lwyddais i ennill y wobr.'

Er pwysiced yr achlysur does gan Bethan fawr o gof am seremoni cyflwyno'r fedal. Ond mae hi'n cofio'r dathlu cefn-llwyfan. 'Cofio stiward yn dod i ofyn i ni fel teulu i 'gadw'r sŵn i lawr' gan fod cystadleuaeth arall ymlaen!'

1987 Bro Madog

ANNE CAROLINE

Cyfreithwraig yw Anne Davies. Erbyn hyn mae'n bartner yng nghwmni Vizards Wyeth yn Llundain ac yn bennaeth y tîm Iechyd a Diogelwch. Pan enillodd hi Wobr Goffa Llwyd o'r Bryn ym Mhorthmadog myfyrwraig oedd hi yn Adran y Gyfraith, Prifysgol Cymru Aberystwyth, ac fel rhan o'i chwrs gradd yn ysgrifennu astudiaeth ar 'y defnydd o'r iaith Gymraeg yn y Llysoedd.'

Fe'i ganed yng Nghaerfyrddin 18 Chwefror 1967 a'i magu ar fferm Llethrmoel, Cynwyl Elfed. Bu'n rhan amlwg o fywyd y pentre trwy fudiad y Ffermwyr Ifanc a'r eglwys leol. Cafodd ei haddysg gynnar yn ysgol gynradd Cynwyl, yna yn Ysgol Bro Myrddin cyn troi ei chamrau am Aberystwyth a Choleg y Gyfraith, Caer.

Yvonne Francis [Wrecsam 1977] wnaeth ei hannog i gystadlu. Roedd hi'n ddeuddeg oed pan fentrodd arni gyda Mrs Ann Evans, gwraig Prifathro Bro Myrddin, yn ei hyfforddi. 'Diolch i Ann am ei hyfforddiant ar hyd y blynydde. Roedd ei harweiniad yn hanfodol i'm llwyddiant. A diolch hefyd i Mam am deithio gyda mi i eisteddfodau o 1981-1988.'

Erbyn Eisteddfod Genedlaethol Maldwyn a'i Chyffiniau 1981 teimlai Anne yn ddigon hyderus i gystadlu – a hi enillodd, yn adrodd 'Enaid Cymru' (O. M. Edwards). O hynny ymlaen bu'n cystadlu'n flynyddol yn y Brifwyl gan ennill bob tro ag eithrio yn y Rhyl 1985. Bu'n llwyddiannus hefyd yn eisteddfodau Pantyfedwen ac yn Eisteddfod Genedlaethol yr Urdd ym Merthyr 1987.

'Cyflwyno detholiad o bryddest John Roderick Rees 'Glannau' wnês i ym Mhorthmadog. Gan fod yr oedran yn amrywio o flwyddyn i flwyddyn, dyma'r tro cyntaf i mi gystadlu am Wobr Goffa Llwyd o'r Bryn a chan fod cymaint o adroddwyr profiadol yn cystadlu, gwefr pur oedd cael llwyfan. Roedd y darn gosod yn apelio'n fawr ataf ac yn gweddu i'm ffordd i o gyflwyno. Gan na feddyliais am funud bod gobaith ennill doeddwn i ddim yn nerfus yn y rhagbrawf. Fel arall oedd hi ar y llwyfan.

'Ar y nos Sadwrn ola' y cynhelid y gystadleuaeth, a chan fod y corau a'r cantorion yn cymryd cryn dipyn o amser roedd hi'n teimlo fel oes wrth aros am y feirniadaeth. Pan ddaeth y beirniaid i'r llwyfan roeddwn i'n gwrando'n astud ac yn disgwyl clywed yr 'ond'. Ond ni ddaeth! Meddai Morien Phillips 'Barn y chwech ohonom yw bod yr adroddiad hwn yn feistrolgar ac yn mynegi profiad y bardd i'r dim. Braint oedd gwrando arni heno.'

'Yn hwyrach y flwyddyn honno cefais innau'r fraint o gyfarfod â'r bardd yn ei gartref a chael gweld y goron a enillodd John Roderick Rees yn y Rhyl. Ond y profiad mwyaf teimladwy oedd eistedd yn yr ystafell lle'r eisteddai Jane, gwrthrych y bryddest, a fu'n forwyn i'r teulu, hithau erbyn diwedd ei hoes wedi colli ei chof. Cefais gan yr awdur ddwy gyfrol o'i farddoniaeth yn rhodd ac, yn garedig iawn, fe'i llofnododd i mi.'

Wedi gadael coleg a dechrau gweithio wnaeth Anne ddim cystadlu wedyn. Mae'n dal i fwynhau darllen cyfrolau Cymraeg. 'Heb amheuaeth bu'r bywyd eisteddfodol yn gryn help yn fy mywyd proffesiynol. Mae'r hyder o fod wedi bod ar lwyfan yn berthnasol pan fydda' i'n cynghori cwmnïau neu unigolion – yn enwedig wrth geisio perswadio Bwrdd y Cyfarwyddwyr i ddilyn fy nghyngor!'

1988 Casnewydd

IVOREEN WILLIAMS

Yn enedigol o bentref Crwbin yng Nghwm Gwendraeth, Sir Gaerfyrddin, mynychodd Ivoreen Ysgol Ramadeg y Gwendraeth cyn troi am y Brifysgol ym Mangor i astudio'r Gymraeg a sicrhau gradd oddi yno yn 1979.

Ers 1998 mae hi'n Bennaeth Adran y Gymraeg yn Ysgol Dyffryn Aman, Rhydaman. Mae'n briod ag Edwyn Williams o Felin-y-Wig ac yn fam i Hanna. Ers rhyw ddeuddeg mlynedd mae'r teulu wedi ymgartrefu yng Nghapel Hendre sydd o fewn tafliad carreg i'w milltir sgwâr.

'Yn ystod fy mhlentyndod, teithiais yn helaeth i eisteddfodau ar hyd a lled Sir Gaerfyrddin a Cheredigion gan lwyddo, weithiau, i gystadlu mewn dwy eisteddfod yr un diwrnod. Enillais mewn nifer o eisteddfodau adnabyddus fel Eisteddfodau Pantyfedwen ym Mhontrhydfendigaid a Llanbedr Pont Steffan ac eto yn eisteddfod nodedig Butlins, Pwllheli.

'Nid oedd cystadlu yn ddefod deuluol, ond yn hytrach yn awydd ar ran Mam i fagu hyder mewn plentyn swil ac ansicr yn sgil triniaeth feddygol a gefais yn deirblwydd oed. Bu'r profiad o eisteddfota yn llwyddiant diamheuol yn yr ystyr hwnnw. Mae'r hyder a ddatblygodd wedi fy rhoi ar ben y ffordd mewn sawl maes. Bu'n fodd i mi gymdeithasu a pherfformio yn gyhoeddus. Cefais, drwy'r hyder hwnnw, y fraint o fod yn Brif Ferch yr ysgol, yn Drefnydd yr Eisteddfod Ryng-golegol ac yn llywydd y dydd pan ddaeth Eisteddfod yr Urdd i Gwm Gwendraeth. Hefyd bu'n fodd i mi ddatblygu fel athrawes a hyfforddwraig adrodd. Yn bennaf oll, roedd eisteddfota yn y chwedegau a'r saithdegau yn gyfnod hapus ac fe wnaethon ni ffrindie da.

'Roedd ennill Gwobr Goffa Llwyd o'r Bryn yn gwireddu breuddwyd oes i mi, yn brofiad bythgofiadwy. Gan fod yr Eisteddfod Genedlaethol yng Nghasnewydd yn 1988 fe ddewiswyd dau ddarn gosod o waith Rhydwen Williams. Y naill oedd ei gerdd 'Cusan', cerdd am Nelson Mandela, a'r llall oedd detholiad o *Cwm Hiraeth*. Apeliodd yr olaf ataf yn arbennig a gallwn uniaethu â hanes bywyd caled yn y gweithfeydd glo, hanes a glywais o enau fy nhad yn ddyddiol, ac yntau'n gyn-löwr fel ei dad a'i dad-cu.

'Yn wahanol iawn i dywyllwch y pwll glo, cofiaf y môr o oleuadau a wynebais y noson honno yng Nghasnewydd. Aeth yn noson arbennig o hwyr. Roedd hi tua hanner nos arnom yn cystadlu ar y llwyfan am eu bod wedi newid y drefn arferol a chael unawdwyr y Rhuban Glas ac adroddwyr y Llwyd o'r Bryn i gystadlu am yn ail. Cofiaf y gwrandawiad astud, y llu wynebau a'r teimlad angerddol o fod yn gwbl gartrefol yn perfformio i dorf awchus.

'Y prif feirniad oedd y diweddar Barchedig Eirian Davies. Am ei bod hi, erbyn hynny, mor hwyr ychydig o sylwadau a wnaeth o'r llwyfan ond cyhoeddodd mai y fi, heb os, oedd yr enillydd. Braint oedd cael ysgwyd llaw â'r rhes o feirniaid, ac fe'm llanwyd â balchder pan roddwyd y rhuban am fy ngwddf.

'Ar y ffordd adref, galwasom fel teulu mewn caffi ar y drafffordd i dorri syched. A dyma'r weinyddwraig fach swil yn gofyn, yn Saesneg, os oeddwn i newydd ymddangos ar y teledu y noson honno. Cofiai'r goler lês a wisgais ac meddai, er na ddeallai'r un gair, 'roeddech chi'n swnio'n dda hefyd'! Teimlais fel brenhines.'

Detholiad penodol o 'Y Siôl Wen', *Cwm Hiraeth* (Rhydwen Williams)

Cuddiai'r niwl ysgwyddau noeth Moel Cadwgan. Symudai pwcedi'r in-clein yn araf, araf, a'r peiriannau'n chwythu a thagu ar ben Pwll y Swamp a Phwll y Pentre. Saethwyd cymylau o fwg du i'r awyr a sgrechiodd yr hwteri'n wallgof. Daeth cawell arall i fyny'r siafft. Hwnt ac yma, ochneidiai'r bombis lluddedig ar y rheiliau, bwrw, tasgu, clonc, clonc, clonc, a'r asennau dur a'r olwynion yn gwichian dan lwythi o byst-Norwy. Crwydrai'r defaid barus, hyll odreon y tipiau, gan drwyno'r glo-mân, crafu, blasu, a chnoi cegaid ar ôl cegaid. Daeth hen gi blêr di-flew heibio i'w dynwared. Cnoi, cnoi, cnoi mor awchus â phe bai grawn rhwng ei ddannedd. Rhedodd bachgennyn allan o'r ty yn ei grys-nos a gneud-dwr fel enfys ar y palmant. Dwy gath yn mewian ar ben to a dwy wraig ar ben drws. A'r niwl yn dal i guddio ysgwyddau noeth Moel Cadwgan.

'Brysia, ngwas i!'

Llais o waelod y grisiau. Cododd Rhobet Esmor ei sanau. Roedd ei gap-ysgol ar fraich y gadair. Fe'i stwffiodd i'w boced. Doedd ganddo gynnig i'w gap-ysgol. Hen liw brown. Nid y lliw a'i blinai ychwaith, ond . . . gorfod gwisgo cap o gwbl. Breuddwydiai am gap fel ei dad. Cap coliar. Blinasai'n lân ar ei fachgendod. Nid oedd Cwm Rhondda yn addas i blentyndod. Bu'n blentyn yn rhy hir o lawer. Roedd yn gofyn dyn a fedrai gydio mewn pig a rhaw a cnoi baco-siag a phoeri i'r tân a diawlio i sefyll ei dir yng Nghwm Rhondda. Hiraethai am drowser-hir.

'Brysia, ngwas i!'

Llais ei fam eto. Arogleuon brecwast i gosi'i ffroenau hefyd. Roedd yn well iddo frysio, oherwydd . . . roedd ei fam wedi galw. Brysiai bob amser ar ôl i'w fam alw. Nid oedd yn brysio ar alwad pawb. Pan alwai ei fam, roedd hynny'n wahanol. Neidiai dros Foel Cadwgan cyn siomi ei fam. Cydiodd yn ei siaced a'i lyfrau a chamodd yn hoyw i lawr y grisiau.

Roedd tân braf yn y grât. Hanner y ffordd i fyny'r simnai fel draig goch fawr. Tasgai'r gwreichion dros y lle bob hyn a hyn. Neidia'r gath. Nid oedd yn cofio bore erioed heb fod tân mawr coch yn y grât. Roedd tân mawr coch ymhob cegin yn y stryd. Yn y pentre. Yn y Cwm. 'Glo gore'r byd!', meddai ei dad. Gan fod ei dad yn dweud, roedd hynny'n iawn wrth gwrs. Ond doedd ganddo gynnig i weld glo. Roedd gweld glo yn llosgi'n braf yn y grât ar aelwyd gynnes yn iawn. Mynyddoedd o lo oedd yn atgas. Pan edrychai allan o'i ystafell-wely, ni welai ond clogwyni a thipiau a wagenni o lo. Llethrau Moel Cadwgan. Llethrau'r Tyn-y-Bedw. Yr holl ffordd i Flaen-y-Cwm. Yr holl ffordd i Don-y-pandy. A llwyth sylweddol tu allan i ddrws-ffrynt rhywun yn feunyddiol. Roedd llwch y glo yn ffiaidd ganddo. Lein o ddillad. Silff ffenast. Tai. Capelau. Ysgol. Cwteri. Yr afon. Y ffordd-fawr. Y strydoedd. Llygaid cymdogion.

Llaw ei dad. A glo oedd unig uchelgais y bechgyn o gwmpas. Gweld y dydd yn dod i daflu'r llyfrau-ysgol i'r cwts-dan-stâr a gwisgo dillad gwaith, sgidia hoelion, iorcs, a mwffler. Mynd dan-ddaear. Breuddwydiai yntau am y diwrnod y câi drowser hir a chap fel ei dad, ond . . . nid oedd am fynd dan ddaear. Bu swn hwter-y-gwaith a'r olwynion a'r peiriannau yn ei glustiau o'i grud, glo-mân oedd ei orwelion, ond . . . roedd meddwl am fynd i lawr y siafft i grombil y ddaear fel hunllef iddo. Er nad oedd ganddo atgof wahanol, roedd gweld ei dad yn cychwyn allan ar doriad-gwawr ac yn dychwelyd ar derfyn dydd yn ddu, yn chwyslyd, yn greithiog yn rhoi loes iddo. Ni fedrai ddeall pam roedd ei dad a'i daid a Dewyrth Sion a Dewyrth Edward wedi gadael prydferthwch gwledig y Gogledd – 'Pan oeddwn i'n hogyn ar ffarm ym Mhlas Capten ystalwm, ngwas i–' . . . Roedd wedi hen benderfynu nad bywyd coliar oedd ei ran *ef* i fod.

1989 Dyffryn Conwy a'r Cyffiniau

ELERI LEWIS JONES

Mae staff Ysbyty Dewi Sant, Bangor wedi dwyn i'r byd sawl un o enillwyr Gwobr Goffa Llwyd o'r Bryn! Yno y ganed Eleri ym mis Medi 1967. Bellach, mae hi'n athrawes yn Ysgol Gynradd Llanddona ac yn mwynhau dysgu ei merch, Alis, i adrodd mewn eisteddfodau yn ogystal â dysgu plant ei ffrindiau.

'Hogan ffarm o Lansadwrn, Ynys Môn, ydw i. Cefais fy addysg gynradd yn Ysgol y Borth, Porthaethwy ac ymlaen wedyn i Ysgol Gyfun David Hughes. Bellach mae gen i ddau o blant – un ymhob un o'r ddwy ysgol. Dros y bont am y Coleg Normal yr es i wedyn, gan ddilyn cwrs B. Addysg. Ond lawn cyn bwysiced â'r cwrs oedd y ffrindiau wnes i yno a ffurfio ein grŵp – Cyffred.

'Ynghanol y cyfnod byrlymus hwnnw y daeth Llanrwst '89! Mae cofio'r noson, peth nad wyf yn ei wneud yn aml, bob amser yn rhoi gwên ar fy wyneb; nid y noson pan enillais i yn unig, ond yr atgofion am yr wythnos gyfan a minnau mewn carafán gyda'm ffrindiau coleg. Diwedd y drydedd flwyddyn oedd hi, a honno'n flwyddyn ddigon prysur efo'r grŵp, beth bynnag am y gwaith astudio, gan ein bod yn ceisio gwerthu ein tâp a recordiwyd gan gwmni Sain.

'Roeddwn wedi bod yn adrodd er yn ifanc o amgylch eisteddfodau lleol; yn mwynhau gwneud ffrindiau newydd, ennill ambell ruban a phres pocad. Byddwn yn mwynhau yn fwy fyth mynd i gartref Mrs Madge Hughes i ymarfer a sgwrsio. Roedd y cyfan yn rhan o'r un profiad.

'Ie, Llanrwst '89. Roeddwn wedi dotio, o'r dechrau, at y darn gosod sef awdl fuddugol y Prifardd Ieuan Wyn [1987] 'Llanw a Thrai.' Mwynheais yn arw y sialens o'i dysgu a'i chyflwyno. Y broses oedd cael tâp gan Madge i wrando arno'n y car, ac yna cyfarfod i ymarfer; trafod a dod i'r safon orau y gallwn ei feistrioli i'r perfformiad.

'Brith gof sydd gen i o'r rhagbrawf. Fe'i cynhaliwyd mewn capel yn Llanrwst. Daeth Mam gyda mi ac roedd hi yn llawer mwy nerfus na fi. Doedd Madge ddim yno gan ei bod hi ar wyliau.

Dwi'n cofio'r wefr o gael llwyfan. Erbyn hynny, roedd gweddill y teulu a'r ffrindiau wedi crynhoi – Dad, fy chwaer Alaw, Catrin, Ceri a Huw – i gyd yn y Pafiliwn i wrando. Dyw Dad ddim yn ddyn Steddfod. Yn rhyfedd iawn, yr unig dro arall iddo fynychu'r ŵyl oedd yn Abertawe [1982] a chefais y wobr gyntaf am Adrodd o'r Ysgrythur dan 15 oed. Fe ddylsai Dad fod wedi dod yn amlach!

'Be dwi'n gofio am y noson honno'n Llanrwst? Dwi'n cofio'r fedal a'r rhuban glas am fy ngwddf a minnau'n gwenu fel giât wrth ysgwyd llaw efo'r beirniaid. Dwi'n cofio'r ffrog flodeuog, las, oeddwn i'n ei gwisgo, a chofio'r cyfweliad teledu yn union wedi i mi adael y llwyfan lle cefais i ddiolch o galon, dros donfeddi'r awyr, i Madge. Yna diod siocled poeth efo Alaw a Catrin yn y garafán, a hen siarad a rhoi'r byd yn ei le hyd yr oriau mân.

'Wnes i ddim cystadlu wedyn. Ond mae'r fedal yn drysor ac yn mynd â mi yn ôl i fyd arall.'

1991 Bro Delyn

RHIAN PARRY

'Cefais fy magu ar fferm odro Muriau, Tudweiliog ym Mhen Llŷn ynghŷd â fy chwaer fach, Iona. Ychydig iawn o ddiddordeb oedd gan Iona yn y fferm ond roeddwn i wrth fy modd allan yn helpu Dad, a'm bryd ar geffylau yn enwedig. Ar ôl swnian dipyn go lew fe gefais ferlen fynydd Gymreig o'r enw Pegi ar fy mhen-blwydd yn naw oed. Bu fy rhieni'n amyneddgar, wrth adael i mi fagu, prynu a gwerthu'r ceffylau i wneud ceiniog i mi fy hun.

'Mynychais Ysgol Gynradd Tudweiliog ac Ysgol Botwnnog, yna graddio mewn Amaethyddiaeth yng Ngholeg Prifysgol Cymru Aberystwyth yn 1983. Wedi hynny treuliais rhyw bum mis yn Awstralia yn gweithio ar ffermydd ac ati. Priodais Richard, mab fferm Bodnithoedd, Botwnnog yn 1984 ac fe ddaethom yma i Crugeran, Sarn i fyw. Erbyn hyn mae gennym bedwar o blant – Hanna, Harri, Anni a Megan – a Llŷn yn ail enw arnynt i gyd. Yn ogystal â bod yn wraig fferm mae gen i fythynnod gwyliau hunan-ddarpar i 'nghadw i'n brysur hefyd.

'Pan oeddem yn blant, roedd Iona a minnau'n 'cerdded 'steddfodau' yn eitha rheolaidd. Byddai Dad yn dysgu'r naill i ganu yn y parlwr a Mam yn dysgu'r llall i adrodd yn y gegin – yna newid! Profasom gryn lwyddiant sawl tro a nifer y cwpanau a'r medalau'n cynyddu o flwyddyn i flwyddyn. Dysgodd Iona ganu alto pan oedd hi tua chwech, ac arferai'r ddwy ohonom ganu deuawd gyda Iona, druan, yn sefyll ar ben bocs oherwydd y gwahaniaeth taldra. Bu'n gyfnod difyr ac anturus.

'Er i mi aros yn ffyddlon i'r Eisteddfod Ysgol Sul wnes i ddim cystadlu rhyw lawer rhwng deuddeg a phymtheg oed hyd nes i eisteddfod ysgol ym Motwnnog ailafael. Dechreuais gystadlu mewn sawl math o gystadleuthau gyda'r Ffermwyr Ifanc hefyd. Ddechrau 1991, mewn archfarchnad, cefais fy nghornelu gan droli Neli'r Hendre! 'Yli mae'n rhaid iti fynd i gystadlu ar lefaru yn y Genedlaethol!' Roeddwn wedi rhyw fyrath gystadlu ambell waith yn y Genedlaethol gan ddod yn drydydd ar yr Alaw Werin o dan 21 ym Môn yn 1983, ond roedd hyn yn swnio'n fwy o ddifri, a dyma ateb, 'Iawn, 'na i ond i chi fy nysgu.'

'Ffonia i di!'

'Wel, os dysgish i un peth gan Neli – paratoi'n ddigon buan oedd hynny! Aeth ati i ddethol o bennod Nansi, *Gwen Tomos,* a bûm yn mynd yno'n rheolaidd o ddechrau Mai, a'r plant yn gorfod dod efo mi ambell waith, Dwi'n siŵr bod y creaduriaid yn gwbod y detholiad gystal â minna erbyn y diwedd! Nid oedd ganddynt yr un diddordeb yn y soned 'Lewis Valentine'!

'Bûm yn sal yn fy ngwely am bron i wythnos ddechrau Gorffennaf a chan mai yn yr ysgol y darllenais *Gwen Tomos* ddiwethaf es ati i'w hailddarllen. Cyfrannodd hyn yn aruthrol at fy nealltwriaeth o'r stori a'r cymeriadau a bu hyn o fudd mawr i'm cyflwyniad.

'Crys-T a jîns yn y rhagbrawf, a'r ffrog flodeuog goch Laura Ashley (fel ag oedd yn ffasiynnol yr amser hynny) yn y garafán – rhag ofn! Roedd y stafell yn fach a'r pum beirniad yno fel rhes o lestri gleision ar y dresel yn fy wynebu. Er i mi fynd i edrych, nid oeddwn yn disgwyl gweld fy enw ar y rhestr yn y swyddfa. Ond, cefais sioc! Roedd 'Rhian Parry' ar y rhestr. Dyma ruthro i'r lle bwyd at Neli a'i gyrru i'r swyddfa i wneud yn siŵr rhag ofn fod dwy Rhian Parry, a nad y fi oedd hi!

Rhuthrodd Richard o adra i warchod y plant, a phrynu saith deg o bacedi gwm-cnoi ceiniog i'w cadw'n ddistaw ac eistedd fry ar yr ochr yn y cefn rhag i'r plant, a hwythau'n ifanc, dynnu fy sylw. Dwi'n cofio'n iawn bod ar y llwyfan gan deimlo'n unig yno fy hun wrth weld yr holl bobol yn y gynulleidfa. Er mwyn cyfleu cymeriad Nansi'n busnesa yn y ffenast fe blethais fy mreichiau pan oeddwn yn gwylio'r gwahanol gymeriadau'n mynd i'r ffair, ac rwy'n credu fod hyn yn un o'r 'symudiadau' cynta i dreiddio i'r byd llefaru.

'"Fe gawsom ein gwefreiddio" oedd geiriau caredig John Gwilyn Jones wrth feirniadu, a theimlais yn emosiynol iawn wrth dderbyn y wobr, ond cefais gip ar Dad a Neli yn gwenu fel giât yn y gynulleidfa. Roedd Mam adra o flaen y teledu – yn swp sâl, ofn imi anghofio ngeiriau. Dwi'n cofio methu cysgu'r noson honno. Ro'n i wedi gwirioni ac yn methu credu'r peth, tra'n gobeithio mod i wedi deud rhywbeth call yn y cyfweliadau teledu a radio gan nad oeddwn yn cofio dim o'r sgwrs.

Erbyn heddiw dwi'n hyfforddi Genod Llŷn, ambell unigolyn a fy ngenod innau, ac yn beirniadu rhyw gymaint. Mwynheais bob eiliad o'r paratoi, y cystadlu, yr ennill a'r dathlu. Magwraeth a ymfalchiai yn y Petha yw'r gwreiddia ac rwyf yn werthfawrogol iawn o hynny. A diolch i Neli a'i throli yn yr archfarchnad!'

Lewis Valentine

'Cabledd yw hollti'r Drindod!' Hyn oedd cred
Awstin Fendigaid . . .
                                        Ond ym Mhenrhyn Llyn
Yn nherfysg y tridegau, aeth ar led
Saga am fandals, dri. Ohonynt un
'Gweinidog batus' yn grymuso'r Gair
â storm gwlatgarwch yn y Nefol Wynt
Nes mynd yn darged penbwl a ffwl ffair,
Eto heb golli'r ffordd ar herciog hynt.
Unwedd Cilmeri iddo ef a'r Bryn,
Unffurf oedd cledd y Sais a'r bicell fain,
Cadwynau Albion oedd amdano'n dynn
A phlethdorch Llundain iddo'n Goron Ddrain.
Trwy drwst pob drycin o Glawdd Offa a chwyth
Ni thau clindarddach Tân-ym-Mhenrhos byth.

Emrys Edwards

1992 Ceredigion Aberystwyth

DANIEL EVANS

Ganed Daniel ar ddiwrnod diwethaf mis Gorffennaf, 1973 yn Nheherbert, Cwm Rhondda. Bu unwaith draddodiad anrhydeddus o eisteddfota yn y cwm enwocaf o'r cymoedd, ond er i'r traddodiad hwnnw beidio â bod, bu Daniel yn eisteddfota ers yn blentyn mewn cystadlaethau adrodd/llefaru, adrodd i gyfeiliant, cydadrodd, cerdd dant, dawnsio gwerin a barddoni. Ef oedd ennillydd cynta Gwobr Richard Burton yn Eisteddfod Cwm Rhymni 1990. Enillodd Wobr Goffa Llwyd o'r Bryn yn Eisteddfod Aberystwyth 1992.

Wedi ei gyfnod disglair yn Ysgol Uwchradd Rhydfelen derbyniodd hyfforddiant yng Ngholeg y Guildhall yn Llundain. Yn 2007, derbyniodd gymrodoriaeth anrhydeddus yno.

'Rwyf wedi actio mewn cynhyrchiadau llwyfan i Gwmni Brenhinol Shakespeare, Theatr Genedlaethol Frenhinol Prydain, Theatre y Royal Court, Donmar Warehouse, Old Vic, Menier Chocolate Factory mewn dramau gan Shakespeare, J.M. Barrie, Christopher Hampton, Peter Gill, Christopher Shinn, Sarah Kane, a dramau cerdd gan Sondheim a Bernstein. Enillais ddwy wobr Olivier am berfformiadau yn *Merrily We Roll Along* a *Sunday in the Park With George* – y ddau gan Sondheim. Yn 2008, bydd *Sunday in the Park With George* yn agor ar Broadway.

'Ar deledu, ymddangosais yn *Doctor Who, The Virgin Queen, Great Expectations, Love in a Cold Climate, Daniel Deronda, The Passion, The Vice a Tomorrow La Scala.* Ymhlith fy ngwaith ffilm mae *Cameleon, The Ramen Girl* ac *Y Mabinogi.* Rwyf hefyd yn gyfarwyddwr theatr, ac ymhlith fy nghynhyrchiadau mwyaf diweddar mae *Esther* gan Saunders Lewis ar gyfer Cwmni Theatr Genedlaethol Cymru.'

Ei atgofion o ennill Gwobr Goffa Llwyd o'r Bryn? "Dychwelyd', soned T. H. Parry Williams oedd y darn prawf ac yna hunanddewisiad. O'r hyn rwy'n ei gofio, y soned barodd y sialens fwya. Wrth gwrs, mae sonedwyr yn cywasgu'r hyn sydd ganddynt i'w gyfleu i bedair llinell ar ddeg yn unig. Swydd yr actor yw efelychu economi'r bardd heb golli dim ar yr ystyr. Haws dweud na gwneud! Mae pedair llinell ar ddeg 'Dychwelyd' yn un frawddeg hir ac mae Parry-Williams yn cyfleu syniad dwys – efallai un o'r dwysaf oll – sef diddymder dynol ryw yn wyneb ehangder a phwer y bydysawd. Dyma sialens a hanner.

'Ar gyfer yr hunan-ddewisiad, adroddais ddetholiad o *Sŵn y Gwynt Sy'n Chwythu* gan James Kitchener Davies. Pryddest hyfryd, a phleser pur oedd ymdrabaeddu yn y boen a'r her.'

Dychwelyd

Ni all terfysgoedd daear byth gyffroi
Distawrwydd nef; ni sigla lleisiau'r llawr
Rymuster y tangnefedd sydd yn toi
Diddim diarcholl yr ehangder mawr;
Ac ni all holl drybestod dyn a byd
Darfu'r tawelwch nac amharu dim
Ar dreigl a thro'r pellterau sydd o hyd
Yn gwneuthur gosteg â'u chwyrnellu chwim.
Ac am nad ydyw'n byw ar hyd y daith
O gri ein geni hyd ein holaf gwyn
Yn ddim ond crych dros dro neu gysgod craith
Ar lyfnder esmwyth y mudandod mwyn,
Ni wnawn, wrth ffoi am byth o'n ffwdan ffôl
Ond llithro i'r llonyddwch mawr yn ôl.

T. H. Parry-Williams

1993 De Powys: Llanelwedd

ELEN RHYS

'Un o f'atgofion cynhara' ydi camu ar lwyfan Eisteddfod Carno yn Sir Drefaldwyn i adrodd. Dw i'n cofio fawr ddim am y perfformiad ei hunan ond dw i'n cofio'n glir sut ro'n i'n teimlo. Fi oedd tywysoges y llwyfan yn fy rigowt newydd sbon, fy sgidie sgleiniog coch a rhuban yn fy ngwallt i fatshio. Yna, i goroni'r cyfan, y diweddar Frances Thomas yn gosod rhuban coch arall ar fy ffrog wedi'r dyfarniad. Am deimlad ffantastig!

'Ond gwaetha'r modd, doedd y rhuban ddim yn goch bob tro. Bu'r rhuban yn las weithie, dro arall yn wyrdd ac yn amlach na pheidio doedd dim rhuban o gwbwl. Gwers anodd i gasglwraig rhubane.

'Heb ymffrostio, roedd y mwyafrif o griw eisteddfodol yr adroddwrs yn gwybod amdana i. Na, nid am fy nhalent llefaru na llwyfannu ond yn hytrach am fy nillad. I chi gael deall, ro'n i a fy nwy chwaer fach, Blodwen ac Anwen, yn trampio o steddfod i steddfod bob Sadwrn wedi'n gwisgo yn union yr un fath o'n corun i'n sawdl. Ni oedd y 'merched 'na o Lawr-y-glyn, sy' fel triplets'! Fi oedd y dala' o'r tair bryd hynny hefyd – ond stori arall 'di honno.

'Ond roedd tipyn mwy i fyd yr adrodd na'r wisg. Roedd rhaid paratoi'n ddiwyd cyn bob cystadleuaeth. Mi dreulies orie maith yn lownj y diweddar Barchedig Michael Thomas yn syrffedus ailadrodd bob gair a chymal drosodd a throsodd a dal i gambwysleisio. Roedd o'n sticlar i'w blesio. Finne wedyn yn styfnigo a phenderfynu canolbwyntio ar lun o Aberdaron a grogai ar y wal yn hytrach na Waldo. Dw i'n dal i gofio pob manylyn o'r llun hwnnw – ac wrth gwrs, erbyn hyn yn fythol werthfawrogol o'r gwersi cynnar hynny.

Symudodd y Parchedig o Lanidloes i Fangor a chyn bo hir ro'n i'n ei ddilyn i fynychu'r Coleg Normal. Do, mi barhaodd y gwersi adrodd hefyd – efallai mai oherwydd bod cinio cartre blasus Mrs Thomas yn ormod o demtasiwn i stiwdant tlawd fel fi. Ond tyfodd mwynhad y geirie a pharch i'r Parchedig gyda threigl y blynyddoedd hynny. Roedd o wastad ar dân i mi gystadlu ac yn wir, ryw ddydd, i ennill ar y llwyfan mawr ar y gystadleuaeth fawr – y Llwyd o'r Bryn. Finne wrth gwrs yn rhy brysur i ystyried rhywbeth annhebygol felly. Fi? Ond, ymhen tipyn, mi ystyriais ei eiriau – wedi iddo ein gadael.

Un o f'atgofion melysa ydi camu ar lwyfan yr Eisteddfod fawr yn Llanelwedd i gystadlu ar y gystadleuaeth fawr. Y darn oedd detholiad o *Yn Ôl i Leifior* gan Islwyn Ffowc Elis, a finne'n cymeriadu Greta. Dw i'n cofio fawr ddim am y perfformiad ei hunan ond dw i'n cofio'n glir sut ro'n i'n teimlo. Fi oedd tywysoges y llwyfan yn fy rigowt newydd sbon a fy minlliw pinc i fatshio. Ac i goroni'r cyfan, wyneb cyfarwydd Falmai Puw Dafis yn gosod rhuban bwysica'r byd llefaru am fy ngwddw wedi'r dyfarniad. Dw i'n rhyw ame i mi weld cip o wyneb cyfarwydd arall yn gwenu arna i o'r gynulleidfa hefyd. Teimlad ffantastig i gasglwraig rhubane.'

1994 Nedd a'r Cyffiniau

RHODRI WYN MILES

Ganed Rhodri yn Ysbyty Mount Pleasant, Abertawe, ar 24 Hydref 1970 yn ail fab i Ifor a Gwenda Miles. Brodor o Bontarddulais ydyw a chafodd ei addysg gynnar yn Ysgol Gymraeg Pontarddulais ac Ysgol Gyfun Ystalyfera. Wedi gadael ysgol fe ymunodd â'r heddlu. Fe'i hyfforddwyd yn Hendon a bu'n heddwas gyda Heddlu'r Metropolitan 1990-1993.

Oherwydd anffawd ac anhap i'w figwrn dychwelodd i Gymru gan newid cyfeiriad ei yrfa. Yng Ngholeg y Drindod, Caerfyrddin, astudiodd Theatr, Cerdd a'r Cyfryngau. Helaethodd ar y profiad hwnnw drwy astudio ymhellach yng Ngholeg y Brifysgol Iowa, UDA. Rhwng 1996 a 1999 chwaraeai ran Gareth Wyn yn *Pobol y Cwm* [BBC Cymru]. Yn 2000 fe'i derbyniwyd i astudio ymhellach yn Ysgol Theatr yr Old Vic ym Mryste.

Actiodd mewn cyfresi drama gyda BBC Cymru, HTV Cymru ac S4C yn ogystal â'i waith llwyfan. Bu canmoliaeth mawr i'w berfformiad o Dylan yn *Dylan Thomas in London* – 'Miles's performance is an absolute *tour de force*' – yng Ngwyl Caeredin gyda Chwmni Fluellen. Dan gyfarwyddid David Cronenberg ef oedd Uwch-Swyddog Harris yn y ffilm *Eastern Promises* ac fe'i gwelwyd hefyd yn *Torchwood.*

Roedd Rhodri yn ddeuddeg oed cyn dechrau cystadlu mewn eisteddfodau. Eiri Jenkins, Cwmgwili, oedd ei athrawes o'r cychwyn – athrawes arbennig oedd yn deall Rhodri i'r dim. Enillodd ei wobr gyntaf yn Eisteddfod Genedlaethol yr Urdd, Aberafan 1983. Y flwyddyn honno hefyd gwelwyd ei ddawn amlochrog yn y Brifwyl yn Llangefni gan iddo ennill ar adrodd, dod yn ail am ganu unawd a chael y drydedd wobr am alaw werin. O 1983 i 1991 daeth i'r brig wyth gwaith yn yr Eisteddfod Genedlaethol.

Tra'n blismon yn Llundain enillodd yr Adrodd Unigol 19–25 oed ym Mro Delyn 'mewn cystadleuaeth o safon uchel iawn'. Y darn prawf oedd 'Tyfu' (Sion Eirian). Meddai'r beirniaid, Dorothy Jones a Siân Teifi, ei fod yn 'ymgorfforiad o Sion Eirian yn ei lencyndod gwrthryfelgar'!

Bu 1994 yn flwyddyn fwy llwyddiannus fyth. Fe enillodd y wobr gyntaf yn Eisteddfod Genedlaethol yr Urdd, Dolgellau; ennill ar yr adrodd 19–25 yn Eisteddfod Genedlaethol Nedd a'r Cyffiniau ac hefyd Wobr Goffa Llwyd o'r Bryn. Mae'r achlysur wedi ei serio ar ei gof:

'Yn y cyfnod hwnnw cynhaliwyd y brif gystadleuaeth i lefarwyr gydag urddas a phwysigrwydd ar nos Sadwrn ola'r ŵyl. Y dasg ar gyfer y Wobr Goffa oedd adrodd soned 'Y Gymraeg' (Alan Llwyd) a detholiad allan o drioled *Cwm Hiraeth* (Rhydwen Williams). Roedd Eiri Jenkins a minnau wedi dethol o'r 'Siôl Wen' sy'n disgrifio profiadau ysgol Rhobet Esmor, detholiad uchelgeisiol ac yn gofyn am gof da. Roeddwn yn ymwybodol bod nifer o drigolion Pontarddulais yn y gynulleidfa i gefnogi Côr Meibion Pontarddulais, a enillodd yn gynt y noson. Rhaid oedd i mi wynebu chwe beirniad sef Marilyn Lewis, Garry Nicholas, Pat Griffiths, Cefin Roberts, Alun Jones ac Ann Fychan. Fe ges i feirniadaeth foddhaol iawn – "Roedd ôl meddwl ar y dehongliad wrth gyflwyno 'Y Gymraeg' . . . Rhywbeth yn gyfan yn y detholiad o *Cwm Hiraeth;* y naratif a'r cymeriadu yn gyson gelfydd gan gyrraedd uchafbwynt yn y sgwrs rhwng Jenkins Aljibra a Rhobet Esmor. Sgript uchelgeisiol a lwyddodd".'

1995 Bro Colwyn

CARYS WYN THOMAS

Ganed Carys Wyn Thomas [Davies ar ôl priodi] yn Ysbyty Glangwili, Caerfyrddin yn 1971, ac fe'i maged ar fferm Llwynpïod, Peniel. Fe'i haddysgwyd yn Ysgol Gyfun Bro Myrddin. Graddiodd mewn Economeg o'r London School of Economics gan ennill gradd uwch o Brifysgol City, Llundain.

Dechreuodd Carys gystadlu mewn eisteddfodau lleol yng nghapel Peniel a Bwlch-y-corn pan oedd hi'n bedair oed. Dyna'r man cychwyn. 'Fe fyddai Mam a mi a'm brawd Hywel yn mynd bron bob dydd Sadwrn i'r gwahanol eisteddfodau i geisio fy lwc!'

Cafodd ei haddysgu'n gyntaf gan Miss E. M. Griffiths, Bancyfelin, ac yna gan Mrs Margaret Matthews, Bronwydd, Caerfyrddin. Profodd gryn dipyn o lwyddiant ar hyd y blynyddoedd gyda'r uchafbwyntiau yng Ngŵyl Fawr Aberteifi, yr Urdd a'r Brifwyl.

Bu'n cystadlu'n rheolaidd ar y lwyfan yr Eisteddfod Genedlaethol o 1984 hyd at 1995. Enillodd ar adrodd dan 25 yn yr Urdd dair gwaith yn olynol gan ddechrau yn Llanbed. Daeth yn fuddugol ddwywaith yn yr Eisteddfod Genedlaethol, sef yn Nyffryn Conwy a'r Cyffiniau [1989] a Chwm Rhymni [1990]. Daeth i olwg Gwobr Goffa Llwyd o'r Bryn yng Nghastell-nedd [1994] trwy gael llwyfan. A chipiodd y wobr y flwyddyn ganlynol.

'Diwrnod arbennig o hir a blinedig oedd Sadwrn ola'r Eisteddfod i mi gan ddechrau ben bore mewn rhagbrawf. Yn anffodus, ni allai fy athrawes, Mrs Matthews, fod yno – roedd hi ar wyliau yn Ffrainc. Tros y ffôn y bu'r ymarfer. Llawenydd wedyn oedd clywed i mi gael llwyfan. A chan edrych ymlaen at y gystadleuaeth y noson honno dyna fwy o alwadau ffôn i Ffrainc!

'Y darnau gosod y flwyddyn honno oedd soned Derwyn Jones 'Llenni'r Nos' – portread o siopwr aeth nôl yn y byd – a detholiad penodol o *Y Llawr Dyrnu* (R. G. Berry) sef 'Wyn MA Oxon'. Dyma un o'm hoff ddarnau llefaru hyd heddi.

'Yn rhannu'r llwyfan â mi roedd dwy ffrind i mi, Eleri Owen a Mandy James, y tair ohonom wedi cystadlu gyda'n gilydd droeon ar hyd y blynyddoedd. Teimlais fy mod wedi cael tro da arni. Ond cystadleuaeth yw cystadleuaeth, a fedrwch chi byth fod yn sicr. Wedi'r gystadleuaeth, aros wedyn am y dyfarniad a theimlo llawenydd naturiol o glywed fy mod yn fuddugol. Camu i'r llwyfan, a theimlo gwefr arbennig pan roddwyd y rhuban glas am fy ngwddf a chael fy llongyfarch gan y beirniaid i gyd.

'Yn eistedd yn y gynulleidfa gallwn weld fy rhieni, a fu mor gefnogol dros y blynyddoedd, yn rhannu â mi lwyddiant y noson. Roedd ennill Gwobr Goffa Llwyd o'r Bryn yn brofiad anhygoel a byddaf yn trysori'r achlysur tra byddaf byw.'

Ar ôl un mlynedd ar hugain o gystadlu ar hyd y wlad a chwrdd â chymaint o bobol sy'n dal yn ffrindiau iddi penderfynodd Carys ymddeol 'ar y brig'. Dechreuodd ar yrfa ym myd y cyfryngau fel cyflwynydd teledu ar y rhaglen *Heno* a gwahanol raglenni i S4C, Sky a'r BBC. Mae hi bellach yn byw yn Abertawe gyda'i gŵr, Dewi, a'u dau fab Morgan ac Elis. Mae'n parhau i weithio i deledu ac yn darlithio ym Mhrifysgol Abertawe ac hefyd yn berchen ar gwmni rhentu tai – Perfect Pads Property Management and Lettings.

Mae ei diddordeb yn parhau ym myd llefaru gyda Carys yn cymryd rhan mewn cyngherddau, yn hyfforddi disgyblion ac yn beirniadu mewn eisteddfodau. Fe'i derbyniwyd i'r Orsedd yn Llandeilo [1996] dan yr enw Carys Llwynpïod.

1996 Bro Dinefwr

MANON ELIS JONES

'Ugain oed oeddwn i pan enillais gystadleuaeth Llwyd o'r Bryn yn 1996. Roeddwn newydd orffen fy ail flwyddyn ym Mhrifysgol Cymru Bangor, lle'r oeddwn yn astudio Cymraeg a Llên y Cyfryngau, ac roeddwn yn mwynhau fy ngwyliau haf hir.

'Y prif atgof sydd gen i o'r gystadleuaeth ydy'r stâd flinedig oedd arnaf yn mynychu'r rhagbrawf wedi dim ond rhyw ddwy awr o gwsg ar Maes B mewn pabell oedd yn gollwng dŵr! Mae gen i frith gof gorwedd yn fy sach gysgu wlyb tua phedwar o'r gloch y bore hwnnw yn ceisio mynd dros fy ngeiriau tra bod criw o bobl ifanc yn chwarae'r bongos yn y glaw y tu allan i'r babell drws nesaf. O'r herwydd, doeddwn i ddim yn teimlo ar fy ngorau yn cyrraedd i ragbrawf y gystadleuaeth; yn bendant doeddwn i ddim yn edrych fy ngorau!

'Fy mam, Annwen Jones, oedd wedi fy hyfforddi, a hi oedd yn gwmni i mi yn y rhagbrawf. Roedd hi'n gwrando ar y cystadleuwyr eraill, tra roeddwn i a'm pen yn fy mreichiau ar sêt y capel o'm blaen, yn ceisio gwneud iawn am y cwsg a gollwyd!

'Os cofiaf yn iawn, roedd rhyw ddeugain ohonom yn y rhagbrawf, rhai yn wynebau newydd ac eraill yn hen ffrindiau a wnaed drwy gyd-gystadlu dros y blynyddoedd. 'Er Cof am Waldo' (T. Llew Jones) oedd y soned orfodol, a dewis darn dim mwy na wyth munud gan D. J.Williams oedd yr ail dasg. 'Deio'r Swan' ddewisiais i, darn a oedd yn llawn cymeriadau difyr o filltir sgwâr yr awdur. Roedd hyn yn gryn sialens imi gyda'm hacen ddeheuol amheus!

'Yn syth wedi perfformio, ac ymhell cyn i'r rhagbrawf orffen, dychwelais i'm pabell i bacio nghês yn barod ar gyfer y daith yn ôl i fyny i'r Gogledd, yn gwbl grediniol nad oedd f'ymdrechion blinedig wedi bod yn ddigon da. Gan fod hyn cyn dyddiau'r ffôn symudol, bu raid i Dad druan redeg ar f'ôl i Maes B i ddatgan y newyddion syfrdanol fy mod wedi cael llwyfan!

'Wedi clywed y newyddion a dadebru wedi'r noson ddi-gwsg, dechreuodd y nerfau. Pryderwn a allwn gofio'r geiriau i gyd ar y llwyfan mawr o flaen cannoedd o bobl yn y Pafiliwn, a hynny yn fyw ar y teledu ar nos Sadwrn olaf yr Eisteddfod. Roeddwn wedi anghofio fy ngeiriau unwaith ar lwyfan Eisteddfod Genedlaethol yr Urdd, Taf Elai yn 1991, a Hywel Gwynfryn a Caryl Parry Jones wedi pitïo'n arw drosta i yn fyw ar Radio Cymru yn ôl Taid! Rydw i'n dal i gael hunllefau am y profiad flynyddoedd lawer wedyn.

'Nia Cerys, sy bellach yn ddarlledwraig newyddion ar S4C, ac Elen Rhys, sy'n gyhyrchydd rhaglenni plant i'r sianel, oedd ar y llwyfan gyda mi. Ac er mawr syndod imi, mi gofiais fy ngeiriau a doedd fy acen ddeheuol i yn 'Deio'r Swan' yn amlwg ddim wedi tramgwyddo gormod ar y beirniaid, gan imi ennill y gystadleuaeth!

'Anghofia i fyth mo Eisteddfod Genedlaethol Bro Dinefwr, nid yn unig am imi ennill y Llwyd o'r Bryn, ond yn ogystal am i mi gael cydradd gyntaf gyda Dyfrig Evans yng Ngwobr Goffa Richard Burton yn gynharach yn yr wythnos. Roeddwn i wrth fy modd.

'Yn bendant, fy llwyddiant yn yr Eisteddfod yn 1996 a roddodd yr hyder imi fynd ar ôl fy mreuddwyd fawr, sef bod yn actores. Ac o fewn tri mis, roeddwn i'n cael fy nghlyweliad cyntaf i'r Coleg Cerdd a Drama yng Nghaerdydd. Wedi wythnosau, os nad misoedd hir, o ddisgwyl y postmon, o'r diwedd daeth llythyr o'r ddinas fawr yn dweud fy mod wedi cael fy nerbyn i'r cwrs perfformio. Ac ar ôl graddio ym Mhrifysgol Cymru Bangor yn 1997, i'r Coleg Cerdd a Drama yr es am flwyddyn o brofiadau gwych.

'Rwy'n actores broffesiynol er deng mlynedd bellach, a hyd yma wedi bod yn lwcus iawn. Ar hyn o bryd rwy'n chwarae rhan Michelle, y fam goman a chegog yn y gyfres boblogaidd *Rownd a Rownd*, ac yn mwynhau yn arw.

'Rwy'n hollol sicr fod yr holl brofiadau a gefais drwy berfformio mewn rhagbrofion ac ar lwyfannau Eisteddfodau dros y blynyddoedd wedi helpu fy hyder, wedi concro fy nerfau, ac wedi bod yn amhrisiadwy.'

Er Cof am Waldo

Mae'n 'Hud ar Ddyfed', ac fe wyddom pam,
Mae Waldo wedi mynd a'n gadael ni;
Dewin fel Gwydion oedd, a'i drem yn fflam,
A'i ddawn a'i chwedlau fyrdd, a'i chwerthin ffri.
Ac fel y Seithwyr gynt yng nghwmni'r Pen
Yng Ngwales dirion wedi cleisiau'r drin,
Cawn ninnau eto'i gwmni yn 'Dail Pren',
Ac eilwaith ddrachtio'r cyfareddol win.

Yfory bydd raid agor dirgel ddôr
A gweled pethau eto fel y maent,
Gweled yr iaith yn machlud yn y môr
A'r hen seisnigrwydd haerllug dan y paent.
Ond heddiw boed i gân y 'Pibydd Brith'
Gadw cynhesrwydd gobaith yn ein plith.

T. Llew Jones

1997 Meirion a'r Cyffiniau

NIA CERYS

Ganed Nia Cerys ar 20 Rhagfyr 1976. Daw'n wreiddiol o Landegfan, Môn, ond ar hyn o bryd mae hi'n byw yng Nghaerdydd ac yn gweithio i adran Newyddion BBC Cymru.

'Enillais Wobr Goffa Llwyd o'r Bryn yn y Bala ym 1997, pan oeddwn yn ugain oed. Dyma'r ail dro i mi gystadlu – cefais lwyfan y flwyddyn flaenorol hefyd. Roeddwn yn cyflwyno detholiad o stori 'Magi Bach', o *Cymysgadw* gan D. Tecwyn Lloyd. Fe wnes i ddewis y detholiad fy hun, ac i raddau helaeth fe ddysgais fy hun hefyd – gyda rhywfaint o arweiniad gan fy hyfforddwr drama ar y pryd, Cefin Roberts.

'Fe wnes i fwynhau'r broses o ddysgu'r darn, yn enwedig gan ei bod hi'n haf braf y flwyddyn honno a minnau'n gallu mynd am dro i'r caeau i gael chydig o lonydd i ddysgu'r geiriau a chyfarwyddo â'r stori. Rwy'n sicr bod ambell fuwch wedi hen ddiflasu yn fy nghlywed i'n sôn am hanes Magi Bach!

'Â fy mam yn un o Feirionnydd, roedd hi'n gallu fy helpu gydag acen Penllyn er mwyn rhoi rhywfaint o liw lleol i'r stori. Peth arall oedd yn help mawr wrth geisio dod â'r detholiad yn fyw oedd dychmygu'r bwrdd te wedi ei osod ar gyfer yr ymwelwyr. Rwy'n cofio fel y byddai fy nain, o Flaenau Ffestiniog, yn arfer â pharatoi te pan fydden ni'n mynd yno. Byddai'r bwrdd yn orlawn o deisennau a danteithion eraill! Ac os byddai yna bobl ddiarth, byddai'n mynd i hyd yn oed fwy o drafferth, gyda'r llestri gorau'n cael eu casglu o'r cwpwrdd cornel.

'Buan y daeth y diwrnod i gystadlu. Roedd y tywydd yn odidog o braf eto, felly roeddwn yn teimlo'n reit hapus yn mynd i'r rhagbrawf. Roeddwn wedi cael llwyddiant mewn cystadlaethau eraill yn ystod yr wythnos – trydydd yn yr alaw werin dan 21 oed, ac ail yn y llefaru dan 21 – ac rwy'n cofio gwneud hwyl gyda fy mam, gan ddweud – Reit! y wobr gynta fydd raid iddi fod y tro yma!

'Roedd nifer helaeth yn cystadlu'r flwyddyn honno, felly doeddwn i ddim wir yn disgwyl cyrraedd y llwyfan – ond yn hapus iawn o glywed fy mod i wedi fy newis i ddod ymlaen o'r rhagbrawf ac yn fwy hapus byth, wrth gwrs, o ennill y gystadleuaeth. Roedd yn brofiad fydd yn aros yn y cof am byth.

'Cefais sypreis arall ar ôl cyrraedd adre i Sir Fôn y noson honno. Roedd fy modryb Siân a chymdoges i mi wedi bod wrthi'n brysur yn addurno'r tŷ a rhoi arwydd mawr ar y drws ffrynt i ddweud 'Llongyfarchiadau'! Bron bod hynny wedi rhoi cymaint o wefr i mi â'r cystadlu!'

Detholiad o 'Magi Bach' o *Cymysgadw*, D. Tecwyn Lloyd

'Magi Bach' oedd hi gan bawb o'i theulu, sef perthnasau fy mam yn yr hen ardal. Y rheswm eglur am y llysenw oedd mai un fechan ydoedd, prin bum troedfedd o daldra. Treuliai ran o'i gwyliau gyda ni bob blwyddyn ond byth fawr mwy nag wythnos; am y gweddill byddai'n anturio ymhellach ac yn aml ddigon yng nghwmni ei meistres i fannau fel Ceinewydd, y Bermo, Bae Colwyn a Llandudno, a barnu oddi wrth y cardiau post a dderbyniem ganddi. Er mai Cymraeg oedd ei hiaith, yn Saesneg y sgrifennai at fy mam bob tro a byth mwy na rhyw ddwy neu dair brawddeg.

Un canol haf, dyma lythyr gan Magi o Moss Lea i ddweud fod ei meistres a hithau a rhyw ffrind i'w meistres o'r enw Miss Parry ag awydd dod draw i Benybryn am y diwrnod.

Wel, roedd hyn yn achlysur tra arbennig gan fod y Miss Parry yma yn hollol ddiarth inni ac os bu diwrnod erioed i dynnu'r llian bwrdd gorau allan a defnyddio'r set lestri te a gawsai mam yn anrheg priodas ac na fuasai allan o'r cwpwrdd gwydr fwy na rhyw ddwsin o weithiau mewn deuddeng mlynedd, dyma fo.

Roedd Mam wedi tra-ddarparu pethau; siwgr lwmp a'r efail arian mewn bowlen wydr, brechdanau tenau tenau yn blastar o fenyn, amryw fathau o gacennau, gerllyg allan o dun mewn cawg gwydr a hufen yn y crenjwg tshieni, dau fath o jam mewn dysglau bach gwydr, cyllyll bychain carnau cochion i drin y tafelli a'r teisennau yn arafaidd boleit rhwng ebychiadau gwerthfawrogol y tair Miss o dre fawr Wrecsam. Te, wrth gwrs, a jygiau dwr poeth i adlenwi'r tebot neu i gymedroli nerth y trwyth yn ôl y gofyn yng nghwpanau'r gwesteion. A bowlen tshieni arall na welswn ei defnyddio cyn hyn; i honno yr âi gwaddod pob cwpan de a waceid ac a gymerid i'w hail lenwi. 'Roedd hi'n brynhawn digon braf i adael y drws ffrynt yn llydan agored a thrwyddo fe sleifiai chwa gynnes o aroglau gwair cras, heibio'r cwpwrdd gwydr, dros y bwrdd ac allan drwy'r ffenest – honno hefyd ar agor.

Fel yna; popeth yn mynd rhagddo yn esmwyth lednais ac un stori a phwnc yn gwau i'r llall fel manecwin yn ymnyddu'n gelfydd i ddangos plygiadau gwisg wâr newydd i gynulleidfa ddethol. Ond heb rybudd, dyma'r Annisgwyl yn torri i mewn. Fy nhaid.

Y dyddiau hynny, byddai fy nhaid, tad fy nhad, yn ymweld â'i feibion i gyd yn eu tro ac yn aros i roi help llaw iddynt yn y tymor trin a hau neu gyda'r cynhaeaf gwair ac yd. Nid oedd bellach yn ffermio ei hun ers tro ac yr oedd wedi dechrau mynd yn anghofus braidd ac ychydig yn gymysglyd ei feddwl ac yn hoff o ailadrodd hen hanesion am y dyddiau pan oedd yn hogyn ac yn llanc ifanc.

Gallaf ei weld yn awr yn dod i mewn i'r tŷ yn chwys ac yn llewys ei grys gwlanen a'i siaced ar ei ysgwydd. Nid oedd yn adnabod y tair ledi ac nid rhyw lawer o ddim sylw a gymerodd ohonynt. Ar y funud, 'doedd dim lle wrth y bwrdd te a dywedodd fy mam y câi damaid gynted ag y byddai'r gweddill ohonom wedi gorffen. Eisteddodd ar y soffa o dan y cloc ac er mwyn diddanu'r cwmni bwriodd ati'n ddigymell i ddweud peth o hanes dyddiau'r caledi. Stori Tycerrig. Pan oedd yn bymtheg oed, meddai, bu'n hogyn ar fferm rhyw wraig weddw yn Nhycerrig, Cwmtirmynach. 'Roedd honno'n gybudd na bu erioed ei bath; ar ddechrau'r gaeaf, byddai'n prynu barilaid o benwaig wedi ei halltu a dyna wedyn fyddai'r unig gig a gâi'r gwas i'w fwyta bob dydd o'r wythnos trwy'r gaea'. Un pennog coch bob dydd a thatws.

'Wyddoch chi,' meddai, 'roedd y pennog mor dene fel mai'r cwbl oedd raid i chi 'neud oedd gafael yn ei ben a'i gynffon a'i dynnu ar draws 'ych dannedd, a mi fyddech wedi hel hynny o gig oedd arno fo ar un gegied!'

Cyn bod ebychiadau'r teirmis wedi cilio a chyn i Mam na Nhad feddwl am ryw drawsymadrodd sydyn i fwrw sgwrs yr hen fachgen i gyfeiriad mwynach a mwy dethol, dyma fo wedyn yn plymio ar ei ben i Stori 'Mwythig. Stori am weld crogi dyn yn gyhoeddus tu allan i gastell Amwythig yw hi a nhaid yn blentyn tair ar ddeg oed yn gweld y cyfan a chlywed y miloedd edrychwyr didrugaredd yn gweiddi 'hang the bugger' wrth i'r condemniedig gael ei arwain i'r rhaff. Yma eto, roedd y traethydd yn twymo ati wrth gyrraedd yr uchafbwynt – a chofier, roedd yn llefarwr dawnus pan fynnai – 'Ie,' meddai, 'roedden nhw ymhob man, hyd yn oed ar 'u fforchog ar gribe'r tai ac yn gweiddi 'hang the bugger'.'

Druan o'r teirmis a druan mwy na hynny o Mam. Doedd Magi Bach ddim ymhell iawn o geulan llesmair ac mae'n siwr fod y ddwy ledi arall yn teimlo fel mynd allan am dro.

Mae'n hollol bosib, wrth gwrs, fod y ddwy fus – Williams a Parry – wedi cael modd i fyw wrth glywed y fath straeon ac nad oedd dim byd sidêt ynddynt o gwbl, ond am Magi 'rwy'n hollol siwr iddi hi gael gryn sioc. Oherwydd mewn ffordd ddiniwed, anaeddfed, yr *oedd* Magi Bach yn sidêt a rhyw bethau bach digon cyffredin yn peri iddi synnu a rhyfeddu.

Y cwbl a erys gyda mi amdani yw saith neu wyth o gardiau post i fy mam yn ei llawysgrif anaeddfed, dwy neu dair brawddeg Saesneg gwbl ystrydebol ar bob un: 'having nice weather here', 'hope you are all well', 'we are enjoying New Quay very much', 'thank you for the butter which arrived safely' . . . Ac wrth gwrs, cofio ei llais, ei hwyneb, ei cherddediad. 'Dwn i ddim pryd y gwelais hi am y tro olaf; 'roedd hynny, wrth gwrs, heb wybod mai'r tro olaf ydoedd. Nid yw o bwys bellach.

1998 Bro Ogwr

ANGHARAD LLWYD

'Cefais fy ngeni ym Mangor, fis Rhagfyr 1978, ac yn Nhregarth y treuliais fy mlynyddoedd cynnar, cyn i'r teulu symud ac ymgartrefu yn Ninbych, Dyffryn Clwyd. Mynychais Ysgol Gynradd Twm o'r Nant, ac Ysgol Uwchradd Glan Clwyd, cyn gadael cartref a graddio mewn Cyfathrebu ym Mhrifysgol Cymru Bangor.

'Gyda rhieni a oedd wedi hen arfer ar lwyfan, pa ryfedd i minnau ddechrau eisteddfota yn ddim ond tair oed! Ac ar ôl arfer mewn Eisteddfodau bychain, dyma fentro i'r Urdd, ac yna'r Genedlaethol, wrth gwrs. Cefais sawl gwobr gyntaf am lefaru, yn ogystal â llwyddiant mewn cystadlaethau cerdd a cherdd dant.

'Y cam naturiol nesaf oedd ymgeisio am Wobr Goffa Llwyd o'r Bryn yn Eisteddfod Bro Ogwr, 1998. Pedair ar bymtheg oed oeddwn i ar y pryd, newydd ddechrau yn y brifysgol, ac roedd encilio o fwrlwm a phrysurdeb y coleg i ddysgu darn swmpus o ryddiaith ar fy nghof yn dipyn o gamp ar y pryd! Fel arfer, roeddwn i wedi gadael pethau'n 'ben set" yn ôl fy mam, a honno'n fwy nerfus na fi yn y rhagbrawf – rhag i mi anghofio 'ngeiriau.

'Detholiad o 'Bod yn Actor' neu 'Joseff' gan Dafydd Rowlands oedd y dewis o ddarnau, allan o *Ysgrifau yr Hanner Bardd.* A chan mai 'Bod yn Actor' oedd yn gweddu orau, fe aeth Dad ati i ddewis detholiad addas. Darn yn sôn am ddysgu adnod ar gyfer y Sul oedd 'Bod yn Actor', ac roedd ynddo ddigon o gyfle i ddweud stori, creu awyrgylch, a darlunio pobl y capel. Rwy'n cofio un darn penodol yn disgrifio wyneb llwynog ar gôt ffwr un o wragedd y capel fel 'y gweddïwr llygaid agored' – ac mae gen i ryw gof fod cyfeiriad at gnoi *mint imperials* ynddo yn rhywle hefyd!

Fesul dwy frawddeg y dysgais y cwbl, drwy ei adrodd yn uchel drosodd a throsodd. Doeddwn i erioed wedi dysgu darn mor hir ar fy nghof o'r blaen, ac i ddweud y gwir, mi ddysgais i ormod! Dim mwy na saith munud oedd y rheol – ac ro'n i fymryn dros hynny, felly roedd rhaid cwtogi rhywfaint ar y detholiad. Mynd adref wedyn at Mam i gael y *polish*, cyn i Dad wrando arna i, a rhoi sêl ei fendith ar y perfformiad.

'Yn rhyfedd iawn, roeddwn i wastad yn fwy nerfus yn y rhagbrawf nac ar y llwyfan, ac roedd yr un peth yn wir wrth gystadlu am Wobr Goffa Llwyd o'r Bryn; mae'n debyg am fod rhagbrawf yn fwy fel prawf, a'r llwyfan yn fwy o berfformiad. Rwy'n cofio yn glir y syndod o fod wedi cael llwyfan: methu credu, gan fod cymaint wedi cystadlu, a sawl un yn hŷn ac yn fwy profiadol na fi.

Roedd y perfformiad ar y llwyfan yn teimlo fel breuddwyd – bron nad oeddwn i'n siŵr beth oedd wedi digwydd yn iawn! Ond does dim byd yn cymharu â'r wefr o berfformio o flaen cynulleidfa fyw, yn enwedig mewn pafiliwn llawn!

Fe ges i goblyn o sioc pan gyhoeddwyd y canlyniad, ac roedd wynebau Mam a Dad yn bictiwr! Rhuthr fawr wedyn o dynnu lluniau a chyfweliadau di-ri, a phawb yn llongyfarch y ferch ieuenga erioed i ennill y wobr. A Mam yn dweud 'Hei, gei di fod yn aelod o'r Orsedd rŵan'!

'Yn sicr, roedd ennill Gwobr Goffa Llwyd o'r Bryn yn anrhydedd fawr, ac yn sylfaen gref i ddechrau gyrfa mewn perfformio. Ers hynny, rwyf wedi datblygu yn actores a chyflwynwraig broffesiynol, ac erbyn hyn yn dysgu eraill i berfformio a chystadlu, gan obeithio y ca'n hwythau yr un wefr ag y ces innau ar lwyfannau ledled Cymru.

Detholiad o 'Bod yn Actor' allan o *Ysgrifau yr Haner Bardd* gan Dafydd Rowlands.

'Duw, cariad yw' oedd geiriau cyntaf y sgript. Rheol nos Sadwrn – dysgu adnod newydd erbyn trannoeth. Nid oeddwn yn ddysgwr cyflym, ac yr oedd cofio sŵn y geiriau a threfn eu dweud yn dipyn o straen ar y cof ffaeleddus. Âi'r straen yn fwy am hanner awr wedi deg ar fore'r Sul canlynol.

Cychwyn am y cwrdd, a'r adnod fach yn canu'n sicr yn y meddwl; cyrraedd y cwrdd ac un gair ar goll, a hwnnw'n air ar ganol brawddeg. Penderfynu peswch yn huawdl yn y bwlch hwnnw. Treuliwn hanner awr y Rhannau Arweiniol yn gwylied y cadno llonydd ar ysgwydd fy mam-gu. Addolwr cyson oedd y creadur hwnnw, ond yn ei ddefosiynau distaw ni allai ef, fel Abel Huws, gau ei lygaid botymog wrth weddïo. Gweddïwr llygad-agored ydoedd, fel minnau. Gwyliwn y gwragedd yn crymu'n weddïgar dan bwysau yr hetiau ffrwythlon a blodeuog.

'Dyrchafaf fy llygaid i'r mynyddoedd . . .' Gair arall ar goll; dau besychiad. Nesâi amser y llefaru Beiblaidd, y sefyll ar lwyfan y sedd a dweud y geiriau. Pan fyddai pregethwr dieithr yn y pwlpud, un o'r diaconiaid, Daniel Morgan, *Registrar*, fyddai'n galw'r actorion bach at eu gwaith. Gŵr byr penwyn oedd Daniel Morgan, dyn bach pert mewn gwasgod ddu, a phlêt ei drywsus streip fel cyllell. Roedd ganddo lygaid siarp hefyd, llygaid i weld, ym mhellter y fforestydd hetiau, yr un bach nerfus a lechai y tu ôl i lwyn mawr Mrs. Davies, Tŷ Top. Gwelwn Daniel Morgan, bob amser, fel lleidr pen-ffordd, yn un yr oedd yn rhaid imi roi trysor fy adnod iddo, yn ofnus ffwdanus, a'r geiriau fel sofrennau'n treiglo i bob man, fel petai twll yng nghwdyn y cof. Ond ar ôl aberthu'r adnod cawn daffen gan fy mam-gu, *mint imperial* a blas camffor y Sul yn drwm arni.

Fe gryfhaodd cof yr actor gyda threigl araf y blynyddoedd. Fe dyfodd adnod yr oedfa yn gyfarch aml-eiriog y brenin goludog o'r dwyrain ar lwyfan y festri. Ac erbyn hynny cafwyd dillad yn ogystal â geiriau yn nrama Gŵyl y Geni. Gwahanol iawn oedd bod yn un o'r doethion yng ngoludoedd sidan y papur crêp a gwychder y goron gardbord. Ac yn y ddiwyg honno, llefarwn fy ngeiriau – 'Gwelsom ei seren ef . . .' – a symud yn gamelog bwrpasol at breseb y bocsus orenau lle gorweddai'r baban plastar disymud . . . 'Rhoddaf aur iddo' . . . a phenlinio'n ddwys ar bren caled Palesteina, a'r papur crêp yn rhwygo'n beryglus ddadlennol o gwmpas fy nghanol. Euthum yn ôl i'r dwyrain, ar hyd ffordd arall, ac aeth y ddol i'r Aifft.

Gweithgareddau'r capel oedd ffynhonnell ein dramadeiddio – 'cwrdde mawr', bedydd plentyn, priodas, y cymundeb. Drama'r cymun oedd ein drama fawr. Set syml o gadeiriau a bwrdd, ac ar y bwrdd, yr elfennau cartrefol, y bara a'r dŵr. A'r ymadroddion ar y cof – 'Hwn yw fy nghorff . . . Y cwpan hwn . . . Ewch a rhennwch yn eich plith' . . . Ni allaf yn fy myw deimlo bod llefaru plentynnaidd-ddramatig y geiriau hynny yn gableddus o gwbl. Bu fy rhyfyg yn llawer iawn mwy wrth eu llefaru droeon ym mlynyddoedd y gŵr aeddfed a'r actor cyfrwys.

Mae gwisgo'r mwgwd yn rhan ohonof bellach, yn rhan o'r ymddangos beunyddiol o flaen cynulleidfa fy nghydnabod.

Annheg fyddai honni mai ar lwybr y Suliau y deuthum o hyd i'r gwyngalch sy'n prydferthu'r annymunol. Ac eto, yno yn gynnar y gwelais mai buddiol oedd dysgu'r geiriau a'u dweud yn dda – cawn daffen gamffor gan mam-gu, a stamp at yr albwm ffyddlondeb gan Daniel Morgan, *Registrar*.

Fe gaech bopeth ond dweud y geiriau iawn yn y mannau iawn. A hyd y gwela' i hynny sy'n wir o hyd. Mae pesychiad cyfleus yn cuddio bwlch. Bod yn gadno bach sydd orau, fel hwnnw ar ysgwydd fy mam-gu, y cadno defosiynol llygad agored.

Bûm yn chwarae rywdro yn un o ddramâu James Bridie, chwarae dyn dall. Yn y ddrama ysgol honno, mi ddysgais sut oedd bod yn ddyn dall a'm llygaid yn llydan agored. Bûm felly ers blynyddoedd bellach: yn llwynog yr adnodau derbyniol.

Ni wn sawl act fydd yn y ddrama hon, ond mae gen' i syniad lled dda beth fydd geiriau olaf y sgript a llinell y llenni: 'Pe rhodiwn ar hyd glyn cysgod . . .'

1999 Môn

RHIAN MEDI ROBERTS

Doeddwn i ddim wedi cystadlu ers saith mlynedd, ond ym 1999 roedd cymaint yn fy nhynnu i wneud hynny; roedd hi'n anorfod fy mod yn cystadlu. Cynhaliwyd yr Eisteddfod y flwyddyn honno ym Môn, y tir ble magwyd fi, ac roedd hynny'n dynfa ynddo'i hun. Ond roedd hi hefyd yn flwyddyn hanesyddol i ni fel cenedl gyda sefydlu'r Cynulliad Cenedlaethol yng Nghaerdydd, sef y siambr drafod wleidyddol gyntaf yn ein hanes ers dyddiau Glyndŵr. Roedd y flwyddyn honno yn drobwynt yn ein hanes. I mi, yn bersonol, roedd yr ysfa i gofnodi hynny ac i geisio argyhoeddi pobl gydag araith a pherfformiad cofiadwy yn gryf iawn.

'Roeddwn bryd hynny, fel rŵan yn gweithio efo Aelodau Seneddol Plaid Cymru yn San Steffan, ac wedi bod yn llygad-dyst i adroddiadau sobreiddiol Mcpherson ar lofruddiaeth hiliol Stephen Lawrence, y bachgen croenddu a laddwyd wrth aros am fws.

'Wedi dwys bendroni, penderfynais mai'r unig ddarn hunan-ddewisol addas i'w berfformio oedd yr araith wefreiddiol, allweddol honno o eiddo Martin Luther King, yr un a draddododd ar risiau Cofeb Lincoln yn Washington DC ym 1963. Dyma eiriau a newidiodd genedl. Efallai y byddent yn newid ein cenedl ninnau hefyd. Roedd y Parchedig T. J. Davies wedi gwneud cyfieithiad teilwng iawn o'r araith yn ei lyfr *Martin Luther King*, ac es i ati i'w dysgu.

'Nid oeddwn am geisio efelychu 'hwyl' King (a fyddai'n anodd iawn i ferch, beth bynnag). Yn hytrach, roeddwn am geisio ail-greu'r naws, yr angerdd, a'r sbarc penderfynol hwnnw a oedd yn ei lygaid. Roeddwn am geisio hoelio'r araith ar ein meddyliau ni, ei gosod hi yn gadarn yn y cyd-destun newydd, cyffrous a gobeithiol, bryd hynny.

'Treuliais oriau lawer yr haf hwnnw yn gwrando ar ei lais hudolus mewn stiwdio fach boeth yn y Llyfrgell Brydeinig, a chael fy ngwefreiddio dro ar ôl tro.

'Fûm i fawr ar faes yr Eisteddfod yr wythnos honno. Es draw i weld y llwyfan – rhag ofn. Yn fewnol yr oeddwn yn paratoi at berfformio ar y dydd Sadwrn.

'Tydw i ddim yn cofio'r rhagbrawf yn y pnawn. Cofiaf ei bod hi'n ddiwrnod braf. A mor hyfryd oedd cael mynd adref i gael te a newid i fewn i ffrog fach ddu ar gyfer y nos – ar gyfer y cyngerdd hwyrol; ar gyfer y cystadlu.

'Mwynheais sefyll ar lwyfan enfawr Llanbedr-goch, a'r teimlad rhyfedd hwnnw o fod mor fach, megis ar fwrdd ryw long enfawr. Roeddwn yn teimlo'r adrenalin yn cwrso trwy fy ngwythiennau. Roedd yn brofiad bythgofiadwy.

'Yna, y munudau poenus o hir hynny o wrando ar y feirniadaeth. Nid y feirniadaeth ei hun, ond y disgwyl, a'r disgwyl am y gair tyngedfennol hwnnw 'ond', y gair a fyddai mor aml yn arwydd i gystadleuydd bod rhyw fai neu frycheuyn yn gwanhau'r perfformiad.

'Mae'r geiriau 'gwobr gyntaf' yn atseinio am byth. Yna'r profiad melys, melys o ddringo i'r llwyfan a sefyll a derbyn y gymeradwyaeth. Roedd hi'n anhygoel o braf cipio'r wobr, gartref yn fy mro fy hun, a cael pawb, o athrawon ysgol cynradd, i fy nheulu agosaf a fy ffrindiau yn rhannu'r llawenydd.

2000 Llanelli a'r Cylch

MANDY JAMES

'Blwyddyn fawr oedd 2000. Nid yn unig roedd hi'n flwyddyn mileniwm newydd ond yn flwyddyn ennill Gwobr Goffa Llwyd o'r Bryn i mi, a hynny yn Llanelli, rhyw wyth milltir o'm cartref ym Mancffosfelen.

'Wedi i mi fod yn cystadlu er pan oeddwn ddim mwy na saith neu wyth oed mewn eisteddfodau hyd a lled Cymru fel llefarwraig neu gantores, mae'r cyfle i berfformio gweithiau llenyddol a cherddorol yn fraint arbennig. Ar lwyfan, daw cyfle i bortreadu geiriau cywrain a nodau perffaith a luniwyd trwy broses greadigol o law artist, llenor, bardd a chyfansoddwr. Geiriau a nodau a grewyd drwy brofiadau bywyd ydynt yn sgil myfyrio dwys a difyr, dychymyg bywiog a thrylwyr, a thalent roddedig. Braint yw cael cyfrannu at y geiriau a'r gerddoriaeth a phortreadu'r geiriau fel eu bod yn dod yn fyw o flaen cynulleidfa.

'Yn Eisteddfod Genedlaethol Llanelli 2000, detholiad trist yn ei hanfod oedd gennyf i'w gyflwyno ond un a roddai gyfle unigryw i gyflwyno'r stori a chreu ymateb emosiynol yn y gynulleidfa. Y dasg oedd cyflwyno detholiad o gyfrol *Tynnu'r Llenni* gan Meirion Evans yn portreadu brwydr â marwolaeth gŵr o ganlyniad i lwch yr ysgyfaint trwy lygaid ei wraig – y boen, y rhyddhad, yr hedd a'r realiti o golli anwylyd.

'Gallwn uniaethu â'r boen o golli un annwyl oherwydd ychydig cyn y Nadolig 1999 bu farw Mam-gu, Ceridwen, mam fy mam. Bu ei cholli hi yn ddiwedd un rhan o fy mywyd i hyd yma. Gan i mi golli fy nhad mewn damwain pan oeddwn yn bedair oed, roedd Mam-gu fel tad i mi, yn ffynhonnell cariad, gofal, direidi a thynerwch. Un fach bwt oedd hi, rhyw bum troedfedd os hynny, ond os oedd hi'n fach o gorff roedd hi'n ddigon yn fy ngolwg i. Mam a Mam-gu, dwy biler sylfaen fy mhlentyndod a'm magwraeth.

Roedd Mam-gu yn gantores hefyd, yn ferch a ddysgodd ei sgiliau yn canu mewn eisteddfodau lleol. Roedd fy mam-gu o ochr fy nhad, Caroline, o ochrau Aberteifi ac, yn ôl pob sôn, roedd ganddi ddawn dweud stori a chlebran. Chwrddais i erioed mohoni gan iddi farw pan oeddwn i'n fabi, ond teimlaf bod rhan ohoni ynof fi o safbwynt dawn lefaru – a chlebran hefyd!

'Felly, roedd ennill ar droad y mileniwm, yn Llanelli, ac ar ôl colli Ceridwen, yn gyfle arbennig iawn i mi am bob math o resymau.

'Ar y noson, roedd hi'n stormus a gwyntog. Rhyw frawddeg neu ddwy o ddiwedd fy mherfformiad, dyna sŵn sydyn o'r cefn yn creu storm yn fy meddwl hefyd a llithrodd y geiriau olaf o'r cof. Profiad ysgytwol, a siomedig, i mi oedd hwnnw ar ôl y paratoi trylwyr. Deuthum oddi ar y llwyfan a chefais sgwrs yno gyda'm hyfforddwraig, Eiri Jenkins. A dyna'r prif feirniad yn dod i'r cefn i'm hannog i ail-berfformio. Oherwydd y sŵn a'r storm a barodd yr anghofrwydd cofiaf deimlo'n rhwystredig ac yn flin â mi fy hun a chyda'r Pafiliwn a'r gwynt a'r glaw. Fy unig gysur oedd bod pethau fel hyn yn digwydd i'r gorau, medde nhw. Ond doedd hynny'n fawr o gysur ar y pryd. Shwt bynnag, ail-berfformio wnes i, yn fyw ar y teledu.

'Cofiaf yr aros poenus am y feirniadaeth wedyn. Beth ddywedai'r beirniaid? Oedd y nam yn ddigon i golli'r wobr? Clywais, yn ddiweddarach, gan ffrindiau y bu trafod mawr ar y sefyllfa gan y rhai oedd yn rhoi sylwadau ar y teledu.

'Ta beth, fe ddaeth y penderfyniad, ac un gloyw iawn hefyd ynghanol y storm oddi allan – un a wnaeth i fedal Llwyd o'r Bryn 2000 ddod yn eiddo i fi. Diolch i Dduw, roedd fy nhro i ennill y wobr nodedig hon wedi dod. Ar waetha'r amgylchiadau, y rhai personol o golli Mam-gu, a'r profiadau ar y llwyfan, trodd y cyfan yn achlysur amserol, emosiynol, breintiedig, gwerthfawr a bythgofiadwy; un heb ei ail.'

Wedi ennill gradd BA ar y cyd mewn Cymraeg a Cherddoriaeth ym 1989 ym Mhrifysgol Cymru Aberystwyth, enillodd Mandy ei Thystysgrif mewn Addysg i Ôl Raddedigion. Treuliodd amser fel athrawes gynradd yn Ysgol Gyfun Trelech, Caerfyrddin, cyn mynd i fyd busnes, gwerthiant a marchnata, ym meysydd cyhoeddi, gwerthu hysbysebu ar y teledu, ac yn hwyrach ym myd iechyd ac addysg. Yn ystod y cyfnod hwn enillodd Radd Meistr mewn Busnes a Gweinyddiaeth, a Diploma mewn Marchnata. Treuliodd dros bedair blynedd wedyn yn gweithio i gwmni gwe, cyn symud ymlaen i fod yn Gymrawd Ymchwil i Brifysgol Morgannwg, ond ar gytundeb i Lywodraeth Cenedlaethol Cymru yn cyflawni gwerthusiad ar y gwasanaethau celfyddydol yng Nghymru. Wedyn bu'n hunangyflogedig fel Ymgynghorydd Ymchwil, gan weithio ar gytundeb, er enghraifft, i'r Cyngor Sgiliau Sector, Sgiliau Creadigol a Diwylliannol.

Mae Mandy, yn sgil ei gwaith, yn hen gyfarwydd â chyflwyno mewn pwyllgorau, cynhadleddau, seremonïau a chyfarfodydd ar hyd a lled Cymru, ac fel siaradwraig Cymraeg, mae'n gallu cynrychioli a dehongli materion dwyieithog yn ôl yr angen gan gyfrannu at y sector fel Pennaeth City and Guilds, y corff dyfarnu galwedigaethol mwyaf yn y DU. Mae hi'n dal i feirniadu mewn eisteddfodau ym meysydd llefaru a cherdd, a pherfformio yn ôl y gofyn, ac yn cael mwynhad aruthrol yn sgîl hynny.

MIRAIN HAF

'Dwi'n cofio un o'r troeon cynta imi gael llwyfan ar lefaru oedd yn Eisteddfod Dyffryn Ogwen, dan bump oed. Alun Jones, Bow Street, oedd y beirniad, ac mi ddudodd mai'r rheswm pam roeddwn i'n fuddugol oedd am imi bwysleisio gair bach ar gychwyn y darn oedd fymryn yn wahanol i'r gweddill. Y darn prawf oedd 'Pêl', a dyma'r her oedd yn ein wynebu ni'r perfformwyr, oedd prin allan o'n clytia . . .

Roedd gen i bêl, pêl fawr wen,
Fe'i ciciais yn uchel i fyny i'r nen.
Ond nawr rwyf bron â mynd o ngho,
Mae'r bêl wedi aros ar ben y to.

'Dwi'n meddwl fod gweddill y cystadleuwyr wedi rhoi mwy o bwyslais ar y gair *pêl*, a finna wedi pwysleisio *roedd.* Nid fod yna ymfflon o ddim byd o'i le ar i chi bwysleisio'r gair *pêl,* wrth gwrs. Ac o edrych ar y darn eto, mi fydda *gen* hefyd wedi gneud y tro, os nad yn fwy effeithiol fyth? Ac o bosib na fydda *fawr* a *wen* ddim wedi bod yn gwbwl anghywir chwaith. Ond yr hyn sydd wedi aros hefo mi tros y blynyddoedd ydi pwysigrwydd y pwyslais. A thros gyfnod o ugain mlynedd da o gystadlu fe dyfodd fy ymwybyddiaeth hefyd o'r angen i oslefu'n synhwyrol ac o effaith saib.

'Pump oed oeddwn i yn eisteddfod yr Urdd Merthyr ym 1987 pan ennillais ar yr adrodd dan wyth. Y darn oedd 'Y Lein Ddillad', a Pat Griffiths oedd y beirniad. Cael a chael oedd hi imi gyrraedd y llwyfan o'r rhagbrofion gan inni fynd ar goll rhywle rhwng y rhagbrawf a'r maes. Dwi'n tynnu fy het i pwy bynnag feddyliodd am y syniad o gynnal rhagbrofion ar y maes!

'Ychydig flynyddoedd wedi fy llwyddiant ym Merthyr daeth rhyw ddadl go boeth i bair y byd adrodd gan fod rhai am newid y gair o adrodd i lefaru. Roeddwn i'n rhy ifanc ar y pryd i ddeall yn union be oedd tarddiad yr angen am newid ond buan y dois i ddallt fod fy nhad o blaid y newid. 'Angan i bobol ddallt na does 'na fawr o wahaniath rhwng llefaru ac actio maen nhw,' oedd ei fyrdwn. 'Deud dy ddarn mor onast a fedri di a dim gor-stumio.' Rhyw awydd oedd o, 'ddyliwn, i ddŵad â'r 'naturiolaidd', oedd wedi hen sefydlu ei hun yn y theatr ers canrif a mwy, i fyd llefaru cerddi a llên hefyd.

'Hunan-ddewisiad o waith Kate Roberts ac englynion clod iddi gan Mathonwy Hughes oedd y darn prawf ar gyfer cystadleuaeth Gwobr Goffa Llwyd o'r Bryn yn Eisteddfod Genedlaethol 2001 yn Ninbych. Roeddwn ar fin dechrau yn y Coleg Cerdd Brenhinol yn Llundain ar y pryd ac yn mynd yno i astudio Theatr Cerdd hefo Mary Hammond. Roeddwn yn mynd i fod filltiroedd i ffwrdd o adra a hyd yn oed yn astudio crefft oedd stepan go lew o fyd adrodd a llefaru. Ond wedi deud hynny, mae 'na un peth sydd yn uno pob crefft llwyfan waeth be fo'i harddull a'i tharddiad, a hynny yw cyfathrebu efo'ch cynulleidfa.

'Roedd Dad wedi dethol darn i mi o'r nofel *Tywyll Heno.* Tipyn o wahaniaeth rhwng *Les Miserables* a *Wicked,* ond yr un mor ddifyr a heriol. Gan fod fy rhieni o Gaernarfon a Dyffryn Nantlle, roedd fy acen naturiol yn ddigon agos at y tinc a'r cyweirnodau yna sydd yng ngwaith Kate Roberts. Ar y llaw arall, roedd y darluniau caled a geisiwn eu dehongli o'r testun yn ddiarth iawn imi. Roedd oerni'r ysbyty a dryswch meddwl y cleifion yn *Tywyll Heno* ymhell iawn o'm byd i. Roedd cyfle o fewn y darn i ddod â lleisiau nifer o'r cymeriadau yn yr ysbyty yn fyw. Cyfle i actio yn ogystal â chynnal y naratif.

'Dwi wastad wedi bod yn fwy nerfus mewn rhagbrawf nac ar y llwyfan. O bosib fod hynny rywbeth i'w 'neud hefo'r ffaith nad oes ganddoch chi fawr o gynulleidfa mewn rhagbrawf, a'i fod yn brofiad braidd yn oeraidd. Neu falla bod rhagbrofion yn cael eu cynnal braidd yn rhy gynnar yn y dydd a finna'n amal heb ddeffro'n iawn. Pwy a ŵyr? Ar ben hynny, wrth gwrs, mae'r darn prawf i'r Llwyd o'r Bryn yn dipyn o farathon, a than amgylchiada rhagbrawf tydi rhywun ond yn rhy falch o gyrraedd y diwedd yn fwy na dim arall. Tydwi ddim yn cofio fawr *am* ragbrawf Llwyd o'r Bryn a bod yn onast hefo chi. Mond ei fod wedi cael ei gynnal mewn capel rywle yn y dre a bod yr haul yn twynnu drwy'r ffenast i'm dallu i. Dwi'n cofio Dad yn deud ei fod yn biti na fydda'r rhagbrawf wedi cael ei gynnal yng nghapel Kate Roberts ei hun, ond doedd dim affliw o wahaniaeth gen i ar y pryd, gan mod i jest ishio cyrraedd diwedd y darn!

'Roedd yn rhagbrawf go faith, a rhyw ugain yn cystadlu os cofia i'n iawn. Mae pob rhagbrawf yn farathon, ond roedd hwn yn ugain marathon ar ôl ei gilydd, i gyd mewn un! Doedd fawr neb ohonan ni wedi dewis yr un detholiad, ac o ganlyniad roedd gwrando ar y cystadleuwyr eraill yn drysu rhywun fwy fyth, felly mi es allan am awyr iach rhyw dri chystadleuydd o mlaen i, rhag ofn imi ddechra llefaru darn rywun arall!

'Tair merch ddaeth i'r llwyfan. O bosib fod ganddon ni chydig o fantais ar y dynion, y tro hwnnw beth bynnag, o ystyried y testun. Ac unwaith eto mi wnes i fwynhau'r llwyfan yn dipyn gwell na'r rhagbrawf. Dorothy Jones oedd y beirniad, a hi oedd y beirniad, medda Dad, a ddyfarnodd y wobr gynta am lefaru imi rioed. A hi hefyd, yn rhyfedd iawn, oedd yr ola. Mi orffenodd ei beirniadaeth imi fel hyn, ac felly dwi'n gadael y gair ola iddi hi, gan ddiolch iddi am ei chefnogaeth dros yr holl flynyddoedd y bûm yn cystadlu. A diolch iddi hefyd am gael gwireddu fy nymuniad o gloi fy ngyrfa gystadleuol trwy ennill y Llwyd o'r Bryn: 'Llongyfarchiadau ar ennill prif wobr llefaru'r Genedlaethol – Y Llwyd o'r Bryn! Pob llwyddiant yn y coleg. Paid â gadael y llwyfannau llefaru'n gyfangwbwl – bydd gwacter!! Brysia nôl i Gymru'.'

2002 Sir Benfro, Tyddewi

LYNDSEY VAUGHAN PARRY

Am flynyddoedd bu Lyndsey Vaughan Pleming (bellach) yn 'llygadu cystadleuaeth y Llwyd o'r Bryn'. Ni fentrodd arni hyd 2002, ac ennill ar ei chynnig cyntaf.

'Cefais fy ngeni 19 Ebrill 1979 yn Ysbyty Dewi Sant, Bangor. Pedair oed oeddwn i'n ymddangos ar lwyfan un o eisteddfodau'r Urdd am y tro cyntaf yn adrodd 'Dysgu Bwji'. Mae Mam yn sôn am y profiad yna o hyd. Bu Dad a Mam yn ddreifars tacsi am flynyddoedd wedi hynny yn mynd â fi, bron pob penwythnos, hyd a lled y wlad i gystadlu ar bron pob cystadleuaeth posib. O edrych yn ôl, rwy'n teimlo i mi fod yn ffodus iawn i gael y cyfle yna i fwrw prentisiaeth, ennill hyder, gwneud ffrindiau a gweld y wlad.

Ar ôl gadael chweched dosbarth Ysgol Brynrefail, Llanrug, euthum i astudio llais yng Ngholeg Cerdd a Drama Cymru, Caerdydd. Penderfynais wneud cwrs Ymarfer Dysgu wedi hynny yn y Brifysgol ym Mangor.

Rydw i bellach yn athrawes yn Ysgol Gynradd Cae Top, Bangor; yn briod â Tony, bachgen o Ddeiniolen, fel fi, ac yn fam i ddau o hogia bach – Cian Henry, sy'n bumlwydd a Rhun Iolen sy'n flwydd.

'Doeddwn i ddim wedi "perfformio" o flaen cynulleidfa am sbel ar ôl gadael y coleg. Felly, dyma benderfynu ailafael ynddi a dysgu darn penodol ar gyfer Tyddewi yn bennaf i lenwi fy amser yn ystod fy meichiogrwydd cyntaf. Cyrhaeddodd Cian Henry ar 2 Gorffennaf 2002, ac mi wnes i barhau i ymarfer adrodd! Detholiad allan o *Un Nos Ola Leuad* (Caradog Prichard) oedd fy newis i, y darn sy'n sôn am y wyrth o ddarganfod llond basged o siopa ar stepan drws y tŷ.

'Aethom i lawr i Ddinbych-y-pysgod i aros mewn parc carafánau am wythnos o wyliau fel teulu. Gyda Cian yn ddim ond mis oed, wna i byth anghofio'r bore Gwener hwnnw, bore'r gystadleuaeth. Roedd Cian yn cael bath yn y sinc gan Nain, a geiriau'r adroddiad yn mynd rownd a rownd yn fy mhen i: 'Dew, un arw oedd Nain, ond hen beth digon ffeind oedd hi hefyd. Son am wneud gwyrthia'.' Wna i byth anghofio'r rhan arbennig yna.

'Tra'r oedd Mam yn teithio am adra, am y rhagbrawf i'r maes yr aeth Tony a finna. Mae'r oria nesa wedi troi'n rhyw freuddwyd yn fy mhen. Rhagbrawf, aros am sbel, canlyniad, sioc, balchder, nerfusrwydd . . . a throi fy nghamre am y llwyfan.

'Roedd hwnnw'n brofiad anhygoel ac annisgwyl. Fedrwn i ddim credu fy mod wedi ennill ar fy nghynnig cynta, a mis ar ôl geni fy mab annwyl. Bellach, mae Cian yn ddigon hen i ofyn am stori 'y Fedal Sbeshial'. Flwyddyn yn ddiweddarach, ym Meifod, roedd cael fy urddo i'r Orsedd yn hufen ar y gacen. Teimlais yn hynod falch a breintiedig wrth berfformio mewn dwy o seremonïau'r Orsedd llynedd trwy ddarllen darn penodol o waith buddugol Mary Annes Payne am y Fedal Ryddiaith, *Rhodd Mam*, ac hefyd ganu cerdd dant wrth gylch yr Orsedd yn un o seremonïau olaf Selwyn Iolen fel Archdderwydd.

'Cefnogaeth fy nheulu sydd wedi bod mor bwysig i mi, a gwaith caled fy hyfforddwyr, yn enwedig Anti Mary sydd wedi fy hyfforddi i 'D[d]ysgu'r Bwji' a llawer, llawer mwy. Diolch o galon.'

2003 Maldwyn a'r Gororau

MERYL MERERID

Dwy ar hugain oed oedd Meryl Mererid pan enillodd hi Wobr Goffa Llwyd o'r Bryn ym Meifod. Gofiwch chi'r cwestiwn y flwyddyn honno 'Ble mae Meifod?'. Erbyn canol Awst roedd 175,000 o eisteddfodwyr wedi ffeindio eu ffordd yno, a Mererid yn eu plith. Fe deithiodd hi yno o'i chartref yng Nghiliau Aeron. Bellach mai hi'n Fferyllydd yn Ysbyty Bronglais, Aberystwyth.

'Merch i fferm Fronfedw, Ciliau Aeron, ydwyf ac yn ymfalchïo yn fy nghefndir gwledig. Cefais lwyddiant ar fy ymgais gyntaf ar lefaru yn Eisteddfod Llanarth pan oeddwn ond pedair oed. A dweud y gwir, pan oeddwn yn cystadlu o dan chwech oed fe fûm yn llwyddiannus iawn gan ennill dros gant a hanner o gwpanau, medalau a tharianau. Er mwyn llwyddo i wneud hynny fe dreuliais Sadyrnau dirifedi yn teithio i eisteddfodau de Cymru, mor bell â Threfyclo a Chwm Du i'r dwyrain ac i lawr i Felindre ger Abertawe yn y de. Eisteddfod Ponterwyd oedd y ffin i'r gogledd. Dyna brentisiaeth dda i unrhyw lefarwr.

'Pinacl yr holl deithio yma oedd ennill Gwobr Goffa Llwyd o'r Bryn, uchelgais pob llefarwr neu adroddwr. Yr hyn sy'n aros yn y cof gennyf o'r diwrnod hwnnw oedd y gwres llethol, a hyd yn oed y babell lle cynhaliwyd y rhagbrawf am 5.30 y pnawn yn grasboeth. Yn wir, wrth gerdded yn ôl i'r garafán y noson honno nid oedd angen cot arna i am ei bod hi'n dal yn gynnes.

'Hwn oedd y tro cyntaf i mi geisio am y wobr ac roeddwn yn falch iawn o gael llwyfan. Pan safwn ar y llwyfan doeddwn i ddim yn yn teimlo'r pwysau o gystadlu, dim ond y fraint o fod yno. Rwy'n falch fy mod wedi ennill yn 2003 pan oedd y gystadleuaeth yn cael y parch dyledus o gael ei chynnal ar nos Sadwrn ola'r Eisteddfod.

'Nid fedrai fy hyfforddwr, Alun Jones, Bow Street, fod yn bresennol ar noson y gystadleuaeth, ac roedd hi'n chwith iawn gen nad oedd yno i rannu yn fy muddugoliaeth. Serch hynny, y mae fy nyled iddo yn enfawr gan mai ef a'm dysgodd er dyddiau fy mhlentyndod. Ef hefyd a ddewisodd y detholiad o nofel Angharad Price *O Tyn y Gorchudd* i gyd-fynd gyda'r darn gosod sef 'Y Gegin gynt yn yr Amgueddfa Genedlaethol' (Iorwerth C. Peate). Roedd y detholiad o'r nofel fel pe bai'n darlunio'r ffaith fod yr ardal a ddisgrifir yng nghefn gwlad Cymru yn adlewyrchu'r Amgueddfa yn Sain Ffagan.

'Mae ysgrifennu'r darn hwn wedi dod â llu o atgofion yn ôl i mi; neidio fel ffŵl tu cefn i'r llwyfan wrth wrando ar y canlyniad a methu cysgu'r noson honno gan fy mod yn dal yn llawn cyffro. Yn wir, mae'r profiad wedi codi'r awydd arnaf i ailddechrau llefaru o ddifri unwaith eto a mwynhau'r teimlad o ddal cynulleidfa yng nghledr fy llaw pan gaf hwyl arni.'

2004 Casnewydd a'r Cylch

CARWYN JOHN

Ai un o'r 'Bangor Lads' ynteu 'Bois Bethel' yw Carwyn? Fe'i ganed yn Ysbyty Dewi Sant, Bangor ar 13 Ebrill 1979, ond ym Methel Arfon y magwyd ef. Ac Anti Elsi, Anti Elsi i bawb o blant y pentre, oedd ei hyfforddwraig gyntaf.

'Toeddwn i ddim yn un o'r plant hynny fyddai'n crwydro 'o steddfod i steddfod' ond fe ddechreuais gystadlu pan oeddwn i'n rhyw chwech, saith oed gan barhau nes mod i yn f'arddegau cynnar. Fe fyddwn i'n cystadlu yn steddfod y pentre, Eisteddfod Bethel, yn gyson ac mewn ambell steddfod ardal yng nghylch Arfon a Dwyfor. A fyddwn i ddim yn ennill yn unlle; dod yn drydydd bob tro!'

Yn eisteddfod Ysgol Uwchradd Brynrefail chafodd o ddim llwyfan ar lefaru 'am fod Lyndsey Vaughan [enillydd Llwyd o'r Bryn 2002] yn dod i'r brig.'

Byddai Anti Elsi yn hyfforddi chwaer Carwyn hefyd, Llinos Angharad, ac roedd hi, bryd hynny, yn fwy llwyddiannus na'i brawd. 'Fe fyddwn i'n cystadlu yn Steddfod Gylch yr Urdd ac weithiau yn mynd drwodd i'r Sir, ond nid erioed fel unigolyn i Steddfod Genedlaethol yr Urdd. Dwi'n cofio, adeg Steddfod Genedlaethol yr Urdd yn Nyffryn Nantlle, bod yr hyn a ddaeth wedyn yn Ysgol Glanaethwy yn perfformio. Dyma fi'n ymuno efo'r ysgol ac ar ôl y wers gyntaf yn dweud wrth Mam 'Dwi ddim yn mynd yno eto. Dwi ddim isho perfformio o gwbl'. Ond roedd Mam yn mynnu mod i'n dal ati. Ac fe ddechreuais innau gael blas.'

Erbyn hyn roedd Carwyn yn dilyn cwrs Cyfryngau yng Ngholeg Menai. 'Ond rhan bwysig o'm hyfforddiant hefyd oedd cymryd rhan yng ngwasanaethau Capel y Cysegr ym Methel, ac yn gwneud pethau'n gyhoeddus yn yr Ysgol Sul.'

Datblygodd ei addysg trwy fynd i astudio Theatr, Cerdd a'r Cyfryngau yng Ngholeg y Drindod, Caerfyrddin. Yr oedd yna gysylltiad rhwng y coleg hwnnw ag Ysgol Glanaethwy – Cefin a Rhian Roberts oedd yn rhedeg yr Ysgol, a Phennaeth yr Adran Theatr yng Ngholeg y Drindod oedd chwaer Rhian, Marian Thomas. 'Ei chymwynas fawr hi â'r myfyrwyr oedd ein cael ni i edrych ar ddramâu mewn ffordd wahanol. Ac nid Marian yn unig, roedd Manon Prysor yn ysgogiad mawr i mi'n bersonol.'

Roedd ei chwaer, Llinos, yn fyfyrwraig yn y Brifysgol ym Mangor a bu'r ddau'n cystadlu yn erbyn ei gilydd ym Mhenllyn yn 1997 ar y ddeialog. 'Hi'n ennill, a finnau'n dod yn drydydd – eto!'

Y darn a dewisodd Carwyn oedd detholiad allan o *Bobi a Sami* (Wil Sam). Rhoddodd gynnig arall arni, gyda'r un detholiad, yn Eisteddfod Genedlaethol Penybont-ar-Ogwr yn 1998 a dyfarnodd y beirniad, John Owen, ef yn fuddugol. Ym Meifod [2003] gwelodd gystadleuaeth Llwyd o'r Bryn ar y teledu a phenderfynu y byddai'n rhoi cynnig arni y flwyddyn ddilynol.

'Fe ofynais i Siân Teifi fy rhoi ar ben y ffordd. Fy hunan-ddewisiad oedd 'Hedydd yn yr Haul' (T. Glynne Davies). Ar y Maes ddydd Gwener Steddfod Casnewydd, cyn y rhafbrawf, fe gefais i banics. Pobol yn holi 'Wyt ti'n gwbod dy eiriau?' Ffonio Siân Teifi yn ffrantig; ffonio fy rhieni i ddweud wrthyn nhw am beidio â dod i lawr. Ond yna, fe gododd rhyw gythrel yna i ac fe dawelodd fy nerfau. Mynd i'r gwely'n gynnar yn y gwesty. Ond fedrwn i ddim cysgu, yn rhannol am fod Meinir Gwilym yn canu yn y bar odanaf!

'Roedd rhyw ddeunaw wedi rhoi eu henwau i lawr i gystadlu; Geraint Lloyd Owen a Gwilym Hughes yn beirniadu. Tua ugain munud oedd 'na rhwng diwedd y rhagbrawf a'r gystadleuaeth ar y llwyfan. Bu hynny o help. Ond roedd 'na ddwy awr o aros am y feirniadaeth. A dyna sioc. Roeddwn i wedi ennill yr anrhydedd fwya. Wnaeth o ddim 'y nharo i hyd y Llun canlynol beth oedd wedi digwydd.'

Nôd Carwyn, sydd yn gweithio i'r BBC ym Mangor, yw efelychu ei hyfforddwraig, Siân Teifi, i ennill Gwobr Goffa Llwyd o'r Bryn ddwywaith. Ond yn yr Eisteddfod yn yr Wyddgrug 2007, yr un hen stori oedd hi – dim llwyfan!

2005 Eryri a'r Cyffiniau

BETHAN LLOYD DOBSON

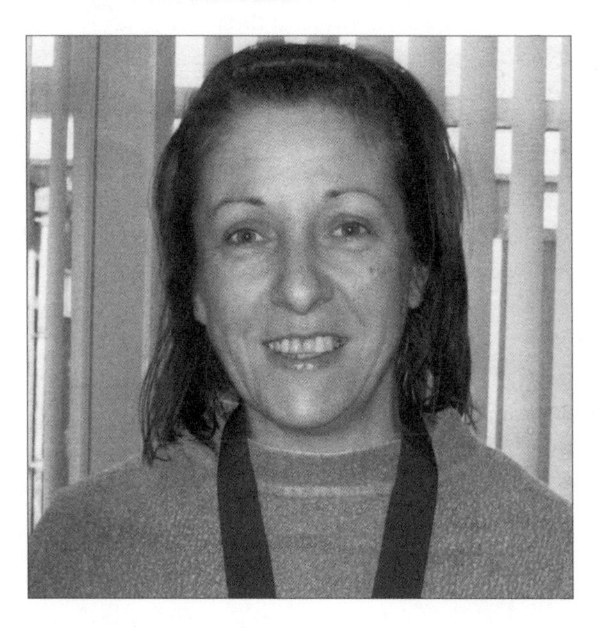

Ganed Bethan yn Ysbyty Bryn Beryl, Pwllheli a'i magu ar fferm Nantcyll Ganol, Pantglas. Nid magu baritoniaid bydenwog yn unig a wna'r ardal hon! Erbyn hyn, mae Bethan ei hun yn fam i Margiad Elen a Martha Jên. Cymhorthydd yn Ysgol Gynradd y Groeslon yw hi o ran ei gwaith dyddiol.

'Ychydig iawn o steddfota a wnes i yn blentyn; braidd dim ar wahan i'r Gylchwyl leol a Steddfod y Garn [Garndolbenmaen]. Y diweddar, ysywaeth, Gareth Maelor fu'n ddigon caredig i ddethol allan o *O Tyn y Gorchudd* (Angharad Price) i mi, gan wrando arnaf yn ei adrodd sawl gwaith cyn mynd am y Steddfod Fawr.

'Nhad a minnau aeth i'r eisteddfod y bore hwnnw. Ffoniais adre i ddweud mod i ar y llwyfan ganol pnawn. Rhuthrodd mam a'r genod am y Faenol a chyrraedd mewn pryd. Sylwodd hi ddim nes tynnu ei chot ei bod yn dal i wisgo'i ffedog! Ychwanegu at yr hwyl a wnaeth y ffedog. Dychmygwch y llawenydd o glywed y beirniad yn datgan mai fi oedd yr enillydd. Fi a fy medal, a Mam a'i ffedog. Roedd pawb ohonom wedi gwirioni yn cael rhannu profiad bythgofiadwy.'

2006 Abertawe a'r Cylch

MEDWEN PARI

'Fe'm ganwyd yn Ysbyty Bryn Beryl, Pwllheli, ar 29 Medi 1967 yn ferch i Gwilym a Jean, Plas, Llwyndyrus, ac yn chwaer fach i Dyfed a Nia. Cefais fy magu ar fferm oedd, a sydd, yn llawn o ddiwylliant Cymraeg. Mae fy mam, fy nhad a fy chwaer yn enillwyr cenedlaethol eu hunain ar lefaru.

'Dechrau cystadlu yn eisteddfodau Ysgolion Sul wnes i ac yn eisteddfodau'r Urdd gan gael ambell lwyddiant, ond ar ganu bryd hynny. Cefais gyntaf ar ddeuawd Cerdd Dant gyda ffrind yn Eisteddfod yr Urdd ym Mhwllheli 1982 a cherdd-dantio'n llwyddiannus eto gyda Nia, fy chwaer, yn Eisteddfod yr Urdd Nedd ac Afan 1983. Am flynyddoedd, bûm yn aelod o Gôr Penyberth dan arweiniad Nan Elis, un sydd wedi bod yn ddylanwad mawr arnaf hyd heddiw.

'Ymaelodi gyda Mudiad y Ffermwyr Ifanc, gan actio a chanu, oedd yr hyn a'm gwelodd yn datblygu o ran hyder llwyfannu, hynny a dod yn aelod o'r grwp canu ysgafn Conji.

'Graddio mewn Cymraeg a Drama yn y Brifysgol ym Mangor

oedd y cam nesaf, a chwblhau cwrs Ymarfer Dysgu. Dychwelais i'm henfro a chael swydd athrawes gynradd ym Mhen Llŷn. Priodais â John, a chartrefu ar fferm yn Aberdaron. Yn ystod y cyfnod yna cefais ddwy wobr gyntaf am Adrodd Digri mewn dwy Eisteddfod Genedlaethol. Yng Nghasnewydd 1988 fe adroddais 'Isio Dyn'. 'Siopa' oedd y dewis yn Aberystwyth 1992.

'Erbyn heddiw, rwy'n fam i bump o blant sef Gwilym, Ianto, Elis, Ela ac Eban Sion. Maent hwythau hefyd eisoes yn ymddiddori ym myd adloniant. Daeth y tri hynaf, sy'n ddeuddeg, unarddeg ac wyth oed, i'r prif wobrau ar lwyfannau cenedlaethol yr Urdd a'r Brifwyl. Dyma, mae'n debyg, wnaeth fy ysgogi innau i ailafael mewn cystadlu eto ar ôl blynyddoedd o fod yn segur.

'Er mai yn Abertawe yr oedd yr Eisteddfod yn 2006 trefnwyd i aros yng Nghaerdydd. Roedd y plant yn llawn cynnwrf wrth i ni gychwyn am y de, a finna a fy mol yn troi fel chwrligwgan. Cyrhaeddodd bore'r Rhagbrawf. 'Gwna dy ora' oedd cyngor yr hogia. Wel, dyna fu fy nghyngor inna iddyn nhwtha cyn pob rhagbrawf. Yna – llwyfan!

'Hyd heddiw, wn i ddim sut y llwyddais i gerdded o gwmpas y maes a dal pen rheswm efo hwn-a'r-llall gan wybod bod tipyn o orchwyl o'm blaen. Ond fe ddaeth nerth o rywle. Detholiad o *S'nam Dianc i'w Gael* (Margiad Roberts) oedd fy newis i. Mwynheais y profiad ar y llwyfan yn fawr, a mwynhau'r canlyniad yn fwy byth. Roedd y plant a'r teulu yn aros amdanaf yng nghefn y llwyfan; pawb ohonom wedi'n gwefreiddio. Cafwyd swper i ddathlu nôl yn y gwesty a minnau, erbyn hynny, yn medru cyd-ymlacio a mwynhau. Bu'r cyfan yn brofiad i'w drysori.'

Detholiad o *S'nam Dianc i'w Gael* (Margiad Roberts)
Mawrth 1af.

'Y traed 'na i fyny rŵan cofia. Bob cyfla gei di.'

Ond fedar neb godi'i draed i fyny heb roi ei din i lawr gynta. Wel, dyna ddudodd Newton beth bynnag.

Ond ma' Heulwen, y nyrs, yn gallu gwneud iddo fo swnio'n beth mor hawdd i'w wneud. Ac ma'n siwr ei fod o. Ond wedyn ma' ganddi hi ŵr sydd yn gallu berwi teciall, ma' siwr. Wneith Now ddim byd yn y ty ''mond byta a chysgu a gwneud yn saff fod ei ddwylo fo'n ddigon budur *just* rhag ofn iddo fo orfod gwneud rwbath i helpu.

Rhes o benna melyn ar glawdd yr ardd. Peth prin gweld daffodils wedi agor erbyn Dydd Gwyl Dewi.

Mawrth yr 2il

Rhes o goesa gwyrdd ar glawdd yr ardd. Now wedi troi dwy ddafad a dau oen yno ar ôl te ddoe. Ddudis i fod gweld daffodils yn beth prin radag yma o'r flwyddyn yn do!

'Cer i Dros Rafon a gofyn a oes ganddyn nhw oen llywath!' medda Now gan chwythu cymyla mawr gwynion ar ffenast y gegin.

Ond doedd dim ots gen i fynd i Dros Rafon. Deud y gwir, ro'n i'n edrach ymlaen i gael sgwrs efo Bet. Sgwrs wahanol am betha gwahanol hefo rhywun gwahanol yn lle 'mod i'n gorfod gwrando ar Now yn berwi am ddefaid, ŵyn llywath, llawas goch, llestar, pyrsa, tethi, sugno, blingo . . . 'Ma Bet fel asprin, a'r geiria cyntaf ddudodd hi pan gyrhaeddais i trwy'r drws oedd; 'Isda. Mi wna i banad.'

Pan ddois i yn fy ôl roedd Now'n cysgu'n y gegin. Ei ben o yn hongian dros fraich y gadair a'i draed o wedi'u plethu ar ben bwcad *Lego*'r plant. Ond fel yr agorais i'r drws mi lyncodd ei lafoerion yn swnllyd a neidio ar ei draed a gweiddi 'Dal hi Mot!'

Dwi'n dechra ama os bydd Now mewn ffit stâd i 'nreifio fi i Fangor. Ella fasa'n well i mi feddwl am gael ambiwlans . . .

Ebrill y 1af

Mi ddisgwyliais i tan hanner awr wedi dau cyn deffro Now.

'Now, cod!'

'Nag'dw heno. Bora fory.'

'O! Aw!'

'Blincing hec!' 'Y cês! Lle mae'r cês?'

'Tu ôl i'r drws'. Ac roedd 'y mol i'n gwasgu'n rheolaidd a chalad fel lwmp o goncrit.

'Brysia!' Ac roedd Now wedi taflud y cês i'r bwt ac yn pwmpio'r sbardyn yn wyllt pan gyrhaeddais i'r car.

A dyna pryd cofiais i: ''Ma'r batri'n fflat!' medda fi.

'Y batri'n be? Blincing hec! Wel, 'sna'm byd amdani felly nagoes . . .'

'Be ti'n feddwl . . .?' medda finna.

Ond roedd o wedi neidio i mewn i'r Racsan cyn i mi gael amser i gwyno.

'Fedra 'i'm isda. *Fedra i'm isda,*' medda fi

'Y? Wel mi fydd yn rhaid i chdi fynd i'r cefn 'ta bydd!'

'Be ti'n wneud? Paid â mynd ar dy bedwar! Be ti'n feddwl wyt ti, dafad?!'

'O! Aw! Brysia!'

A chyn iddo fo gau drysa'r Racsan arnaf i roedd Now wedi cyrraedd giât y lôn, lle'r oedodd am eiliad.

'Dde!' medda fi wrtho fo, just rhag ofn iddo fo fynd â fi at y ffariar.

A thaith digon arw ges i, a Now'n gyrru'n orffwyll. Ac ro'n i'n meddwl mai yn fy isymwybod y clywais i o gynta. Ond seiran car plisman oedd o, a hwnnw'n agosáu . . .

'Uffar dân. Be nesa?'

A stopiodd Now yn stond.

'O naci, dim y *chi* eto. A be ydi'r esgus y tro yma? Dafad at y ffariar eto mae'n siwr ia. Hm?' gofynnodd y plisman yn bwysig.

'Naci, y wraig.'

'Ho ho, ia ia, reit dda rwan.'

'Y?'

'Ebrill y cynta tydi. Meddwl gwneud ffwl ohonof i ia?'

A dyna pryd y clywais i swn traed yn cerdded rownd at y ddwy ffenast ôl, yn stopio'n stond ac yn deud: 'Po . . . po . . . po . . . police escort. Follow me. Rwan!'

* * *

'Dyna chi, Branwen. Gwthiwch a gwthiwch fel tasa chi rioed wedi gwthio o'r blaen . . .'

'O llongyfarchiada. 'Dach chi wedi cael hogyn bach, Mr Morus! Mr Morus? O bechod, mae'r cwbwl wedi bod yn ormod i'r gŵr dwi'n meddwl. Creadur! Ddim wedi arfar hefo genedigaethau ma siwr nag'di.'

'Nag'di' medda finna a phum cant o ddefaid yn brefu yn y 'mhen i.

Ddim wedi llewygu oedd o wrth gwrs, dim ond cysgu. Ac mi gysgith Now yn rwla radag yma o'r flwyddyn.

2007 Sir Fflint a'r Cyffiniau

RHIAN EVANS

Mae Rhian yn byw yn y Tymbl. Yn ôl *Y Llyfr Enwau* (D. Geraint Lewis) enw tafarn, sef 'Tumble' o 'Tumbledown Dick' (llysenw mab Oliver Cromwell) yw'r tarddiad. Athrawes yn Ysgol Gynradd Gymraeg Dewi Sant, Llanelli yw hi a does dim syndod ei bod yn rhestru ymhlith ei diddordebau 'darllen, marchogaeth, cymdeithasu a chefnogi'r Sgarlets'! Dechreuodd gystadlu mewn eisteddfodau, dan arweiniad Miss Menna Jones, pan oedd hi'n chwe blwydd oed ac yn ddisgybl yn Ysgol Gynradd Pen-y-groes, Sir Gaerfyrddin.

'Yn 1987 dechreuais fy nghyfnod yn Ysgol Gyfun Maes-yr-Yrfa lle cwrddais i â Miss Delyth Mai Nicholas, sydd wedi bod yn fy hyfforddi bellach am dros ugain mlynedd. Cefais beth llwyddiant ar hyd y blynyddoedd yn Eisteddfod Genedlaethol yr Urdd ond yn yr Eisteddfod Genedlaethol yr wyf wedi profi mwyaf o lwyddiant gan ennill y gystadleuaeth llefaru dros 25 oed a'r gystadleuaeth 'Llefarydd 2004' dan 30 oed yng Nghasnewydd.

'Ond Gwobr Goffa Llwyd o'r Bryn oedd y nod, a chan i mi ddod yn ail deirgwaith fel Rhian Thomas, yn 2003, 2004 a 2006, roeddwn i'n poeni na fyddwn i fyth yn cyrraedd y nod hwnnw. Rhaid mai priodi wnaeth y gwahaniaeth!

'Ro'n i'n teimlo bod y gystadleuaeth yn 2007 yn rhyfedd. Fy newis i a Delyth Mai oedd detholiad o awdl Mererid Hopwood 'Dadeni'. Bu'r ddwy ohonom yn poeni am y dewis a sut i gwtogi'r detholiad i'r amser penodol [heb fod yn hwy na 8 munud]. Yn wir, fe ffoniais i Swyddfa'r Eisteddfod i ofyn os oedd modd newid y darn. Yr ateb oedd na fydda hynny'n bosib. Diolch byth! Roeddwn i'n dwlu ar yr awdl, er y tristwch sydd ynddi ac er mai rhyddiaith yn bennaf a lefarais yn y gorffennol.

'Aeth pob dim yn iawn yn y rhagbrawf a thrwy lwc cyrhaeddais y llwyfan. Roedd y cyfnod cefn-llwyfan yn ddiddorol a dweud y lleiaf. Nawr 'te, cyngor i unrhyw ferch sy'n cystadlu – os ydych yn gwisgo ffrog neu ddilledyn newydd am y tro cyntaf ar lwyfan y Brifwyl gwnewch yn siwr eich bod yn ei drial yn gyntaf, neu sicrhewch gyflenwad digonol o *safety pins.* Wna i ddim ymhelaethu!

'Teimlais yn ddigon bodlon gyda fy nghyflwyniad ar y llwyfan. Yna'r aros. Diolch am ffônau symudol, am deulu a ffrindiau cefnogol i decstio a ffônio'u cefnogaeth yn ystod y cyfnod yna. Mae aros wrth ochr y llwyfan a chlywed y beirniaid yn dadansoddi eich perfformiad yn brofiad ynddo'i hun. Mae aros am y canlyniad yn medru bod yn boenus. Pan glywais y gair 'awdl' gwyddwn mod i wedi ennill gan mai dewis cyflwyno rhyddiaith wnaeth y ddwy gystadleuydd arall. O glywed y canlyniad sylweddolwn fy mod wedi cyrraedd y nod. Profiad bythgofiadwy.'